SHODENSHA
SHINSHO

イーロン・マスク　次の標的

――「IoBビジネス」とは何か

浜田和幸

祥伝社新書

はじめに

その動画は、世界に驚きをもって迎えられた。とりわけビッグ・テック（マイクロソフトとＧＡＦＡ（ガーファ）＝グーグル、アップル、フェイスブック、アマゾン）に代表されるＩＴ企業の専門家たちにとっては、衝撃的ですらあった。

動画では、一頭の猿がモニターを見ながらゲームをしている。それだけなら、今さら驚きではない。しかし動画の猿は、コントロールレバーに触れることなくモニター上のカーソルを動かし、プレイを続ける。実はこの猿には、脳にコンピュータとネット接続する装置が埋め込まれていた。要するに手を使わず、脳波だけでゲームをする猿がそこにいたのである。

——あの男が立ち上げたスタートアップ企業は、わずかな期間でここまでＩｏＢの技術を進化させたのか。

そんな衝撃を専門家たちに与えた「あの男」とは、イーロン・マスク（Elon Musk）、五〇歳。テスラやスペースＸを率(ひき)いる起業家にして、世界第三位の大富豪だ。ちなみに二〇二一年一月から二月までの六週間、一時はアマゾン創業者のジェフ・ベゾスを抜いて世界一の座にあった。

そしてマスクが立ち上げた「スタートアップ企業」こそ、ゲームをする猿の動画を公開したニューラリンク（Neuralink Corporation）という会社である。ニューラリンクは二〇二一年四月九日、ユーチューブ（YouTube）の自社公式チャンネルに、この動画をアップした。

企業としてのニューラリンクと、猿を使った動画については本文第１章で詳述する。その前に、傍点を付した「ＩｏＢ」を説明しなければならない。

ＩｏＢによく似た言葉に「ＩｏＴ」があるが、こちらはすでに人口に膾炙(かいしゃ)していると言えよう。ＩｏＴすなわち「Internet of Things(インターネット オブ シングズ)」は、直訳すると「モノのインターネット」という意味で、文字どおり物体（モノ）に通信機能を持たせ、ネット接続する仕組みの総称である。これにより認識や検知、制御、遠隔操作といった機能をモノが自動的に行なえる。

ＩｏＴは私たちの日常生活にも浸透しつつあり、たとえばスマートフォンを利用して、外出先からエアコンのスイッチを切り替えたり、温度設定を変更したりできるのは、ＩｏＴの遠隔操作機能の賜物(たまもの)である。また、バスの運行状況や道路の混雑具合がリアルタイムで分かるのもＩｏＴの検知機能による。こうした家電やモバイル端末のユーザーは急速に増加し、さらに各産業へのさまざまな技術導入が進むことから新たなビジネスが次々に生まれ、ＩｏＴの市場規模は二〇二二年に全世界で一兆ドル（約一一〇兆円）の大台に達するとまで予測されている。

では、ＩｏＢとは何か。ＩｏＴと一文字、「Ｔ」と「Ｂ」が異なっているが、この「Ｂ」はボディーズ（Bodies）の頭文字である。そう、「Internet of Bodies」（身体のインターネット）であり、「ＩｏＴの次はＩｏＢビジネスの時代だ」と世界のテック企業が熱く注目する新技術領域なのである。

ＩｏＢは、ヒトの肉体そのものをインターネットで人工知能（ＡＩ）に繋ぐ。具体的な事例などは本文第４章で述べるが、冒頭に記した猿の動画が示すように、イーロン・マスクがＩｏＢという新たなビジネス領域に参入し、ネット業界を色めき立たせるほどリードしている事実は明記しておきたい。何しろ彼の描く未来は「人間のサイボーグ化」なのである。

私は本書で、イーロン・マスクの思考と言動、ビジネス手法などを、未公開情報を含めて深掘りし、この稀有な起業家の〝正体〟と次なる〝標的〟を明らかにしてゆく。

浜田和幸

※本文中のドル円換算は、記述内容当時の為替相場に基づく。

目次

第5章　マスクが描く未来　171

第1章

脳にデバイスを埋め込め

■「ＢＭＩ」とは何か

「はじめに」で触れたニューラリンクをイーロン・マスクが立ち上げたのは、二〇一六年七月のことである。当初はどこか秘密主義的で、翌二〇一七年三月になってから、マスクはニューラリンクの設立を初めて公表した。

このとき、二六九五万ドル（約二九億円）の資金を調達したことが明らかになると同時に、「ニューラリンクを設立した目的はＢＭＩ（Brain〔ブレイン〕 Machine〔マシン〕 Interface〔インターフェイス〕）の開発である」とマスクは宣言している。ＢＭＩとは、脳とコンピュータをネット接続して通信するテクノロジーの総称であり、脳に装着するデバイスそのものを指す場合もある。まさしく「はじめに」で述べた、猿の脳に埋め込まれた装置が、現実化したＢＭＩなのである。

またマスクは、こうも語った。

「四年以内に、脳に埋め込む器具（ＢＭＩ）を開発し、研究を重ねて、一〇年以内には健康な人間の脳とコンピュータが対話できるようにする」

その言葉どおり、宣言から四年後の二〇二一年四月九日、ＢＭＩデバイスを装着した猿

脳波でビデオゲームをする猿

脳に埋め込まれたBMIデバイスの機能により、念じるだけで卓球ゲームをする猿

（ニューラリンクがYouTubeにアップした動画から）

がゲームをする動画が公開されたわけである。私の取材とニューラリンクの資料をもとに、〝脳波でゲームする猿〟のメカニズムを紐解いてみよう。

＊

猿は「ペイジャー」（Pager）という名で、九歳のオスである。脳にBMIデバイスが埋め込まれている。

　三分二九秒の動画のタイトルは「Monkey MindPong」。「Pong」が卓球ゲームの名称であることから、「思考・想像能力」を意味する「Mind」と結びつけたのであろう。

　さて動画の冒頭で、猿はストローを咥え、コントロールレバー（「ジョイスティック」と呼ばれる）を手にしている。このレバーを使ってモニター上のカーソルを動かし、ゲームをするのだ。最初は卓球ゲームではなく、動く標的にカーソルを重ねるだけであるが、成功すると、ストローから好物のバナナスムージーが供給される仕組みである。「ペイジャー君は、おいしいバナナスムージーが欲しくて、コンピュータの操作方法を覚えました」と、動画のナレーションが解説する。

大脳皮質に装着するデバイス

猿の脳に埋め込まれたBMIは、「N1（エヌワン）リンク」（N1 Link）と名づけられたデバイスである。脳に「埋め込む」ことから、別名「脳インプラント」とも言う。歯科の治療でおなじみのインプラントである。後述するように、イーロン・マスク自身も「インプラント」と表現することがある。

このN1リンクが脳の活動を読み取り、記録した情報をブルートゥースで解読用コンピュータにワイヤレス送信する。通信速度は一〇〇〇分の二五秒単位である。

「脳インプラント」はコイン状

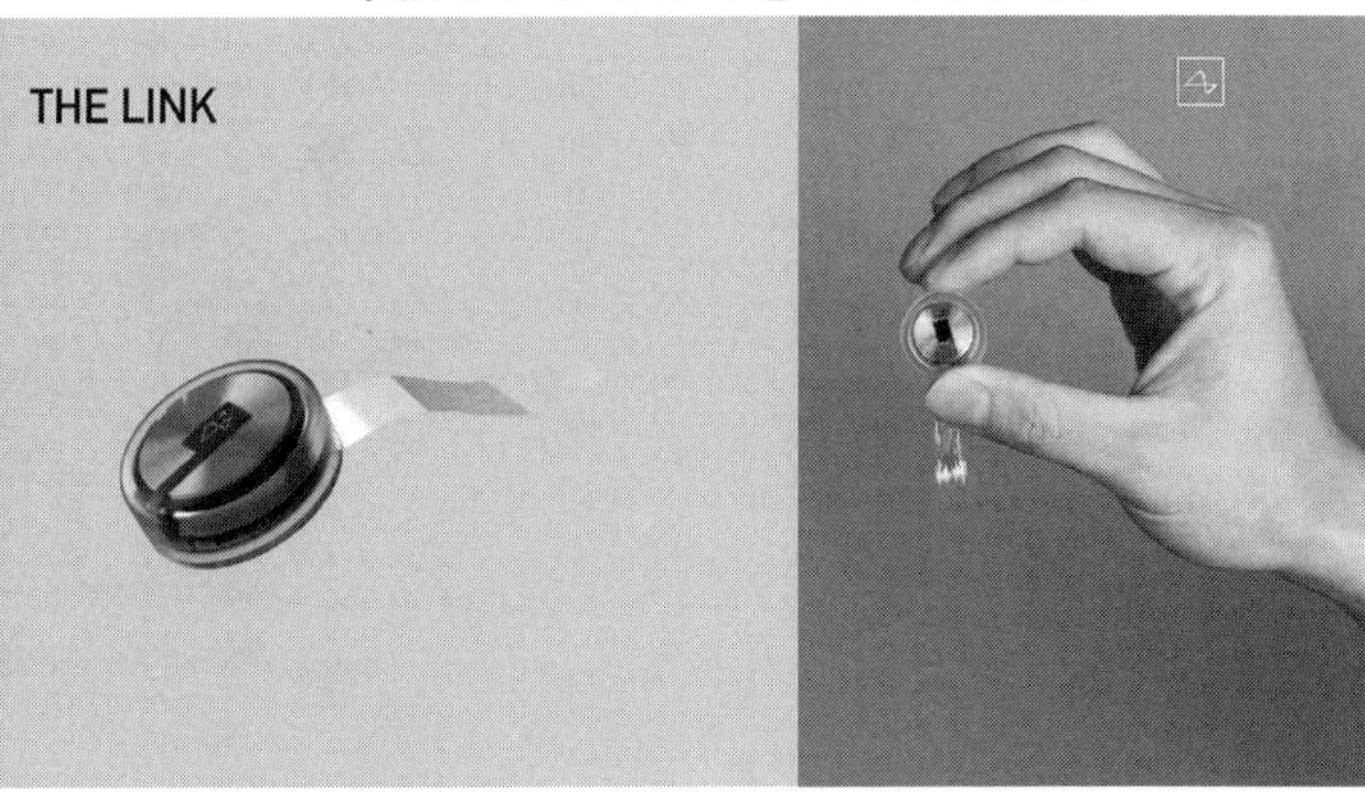

2020年8月に公開されたBMIデバイス
（ニューラリンクのHPから）

N1リンクは直径二三ミリ、厚さ八ミリ。日本の一〇〇円硬貨を厚くしたような形状だ。一〇二四個もの電極を備え、顔や手足の動きに関わる大脳皮質の一次運動野という部位に据えられていた。動画撮影の六週間前に、猿の頭蓋骨をくりぬき、脳に直接、装着したという。そして解読用コンピュータは、受信して蓄積されるデータから、猿がレバーを操作する動きと脳の活動との関係を解析し、パターン化してゆく。

猿がバナナスムージー欲しさに手でレバーを動かすとき、脳内に電位の変化が生じる。これを「ニューロン（脳神経細胞）の発火」と呼ぶ。ちなみに「発火」の度合いを体外で電気的に増幅し、オシログラフで波形にしたものが「脳波」である。また、発火は「スパイク」とも呼ばれる。

デバイスが検知した「発火」を受信した解読ソフトは、猿の手の動き方と発火パターンの関係をデータ解析することで、猿がどのように手を動かそうとするのか予測することができる。いわば、ペイジャー君という猿の〝意図〟をデジタル的に〝吸収〟するのである。

動画を見ると、開始から一分三五秒を過ぎたころ、レバーとゲーム機器を接続するケーブルが外されたことが分かる。それでも猿はゲームを続け、モニター上のカーソルを動かしている。レバーは握ったままであるが、この時点でカーソルとレバーが連動していないことは明白だ。そう、カーソルは猿の〝意図〟すなわち脳の指令だけによって動かされているのである。

その四〇秒後には画面が切り替わり、卓球ゲーム（Pong）をする猿が映し出される。しかも、レバー本体そのものが消えてしまった。猿はストローを咥え、右手はそのストローに添えられているだけである（17ページの写真）。それでもカーソルは動き、卓球ゲームが進行する。カーソルは、猿の脳波を解読する装置からの出力で動くのである。

「親指よりも速くスマホを動かせる」

First @Neuralink product will enable someone with paralysis to use a smartphone with their mind faster than someone using thumbs

イーロン・マスクのツイート。ニューラリンクの第一号製品について、有用性を述べている　（2021年4月9日9時24分）

■マスクがツイッターとクラブハウスで伝えたこと

この一連のプロセスは、次のようなフローに整理することができるだろう。

①猿（ペイジャー君）は好物のバナナスムージーが欲しい。

②レバー操作でゲームに成功すれば、ストローから好物が出てくることを知る。

③猿はモニターを見ながら、手でレバーを動かす。

④このとき、手の動きを司る脳神経細胞が「発火」する。

⑤発火をBMIが検知してAI（解読用コンピュータ）に送信する。

⑥解読ソフトは、受信した発火と猿の手の動きをデータとしてパターン化する。

⑦ 猿がまた手を動かそうとする〝意図〟を、BMI経由でAIが受信（レバーの電源は切られる）。

⑧ AIはデータから手の動き方を瞬時に予測し、ゲーム機にカーソルの動きを指示する。

まさしく、IoB（身体のインターネット）をリードする技術である。

動画が公開された四月九日当日、イーロン・マスクはツイッターでこのように表明した。

「最初のニューラリンクの製品は、麻痺（まひ）を持つ人が、思考することで親指を使う人よりも速くスマートフォンを操作できるようにするだろう」（前ページに原文を掲載）

また彼は、動画公開に先立つこと約二カ月の一月三一日夜、音声SNSアプリ「クラブハウス」（Clubhouse）で、この動画を〝予告〟している。「音声版ツイッター」とも評されるクラブハウスは、既存ユーザーからの招待によってトークに参加できるシステムだが、招待数には枠がある。しかしマスクの登場を知った参加希望者が殺到し、枠はすぐに

第一号製品のお披露目

2019年7月、記者発表するイーロン・マスク（YouTubeから）

溢れてしまったという。

マスクはこの日のトークでユーザーから、ニューラリンクについて質問を受けた。「直近の進捗状況はどうなっているのですか」というものであった。マスクはこう応じた。

「ワイヤレス・インプラント（BMIデバイスのこと）を頭蓋骨に装着した一頭の猿がいます。インプラントには細い電極が付いていて、この猿は頭で考えるだけでビデオゲームをプレイできます。インプラントがどこにあるのかは見えません。彼は幸せな猿です」

そして、「ニューラリンクは（猿がゲームをする）新しい動画を、あと一カ月ほどでリリースするでしょう」と明かしたのである。実際には「一カ月後」よりも遅れたものの、動画が全世界に公開されたのは先に記したとおりである。

■髪の毛よりも細いワイヤを脳に

イーロン・マスクが、脳に埋め込む「インプラント」を初めて公表したのは、二年前の二〇一九年七月一六日である。ニューラリンクが本拠を置くサンフランシスコの、カリフォルニア科学アカデミーがプレゼンテーションの会場となり、その模様はユーチューブでライブ配信された（前ページの写真）。

報道陣を前に登壇したマスクは、それまで秘密めいていたニューラリンクの事業内容を説明し、開発したＢＭＩデバイスを披露（ひろう）した。いわばニューラリンクの第一号製品（ファースト・プロダクト）である。

このＢＭＩは、前述した猿（ペイジャー君）に埋め込まれた「Ｎ１リンク」とは形状が異なっている。直径八ミリほどの小さなコンピュータ・チップから無数のワイヤが延（の）び、

子豚の脳の神経活動を検知する

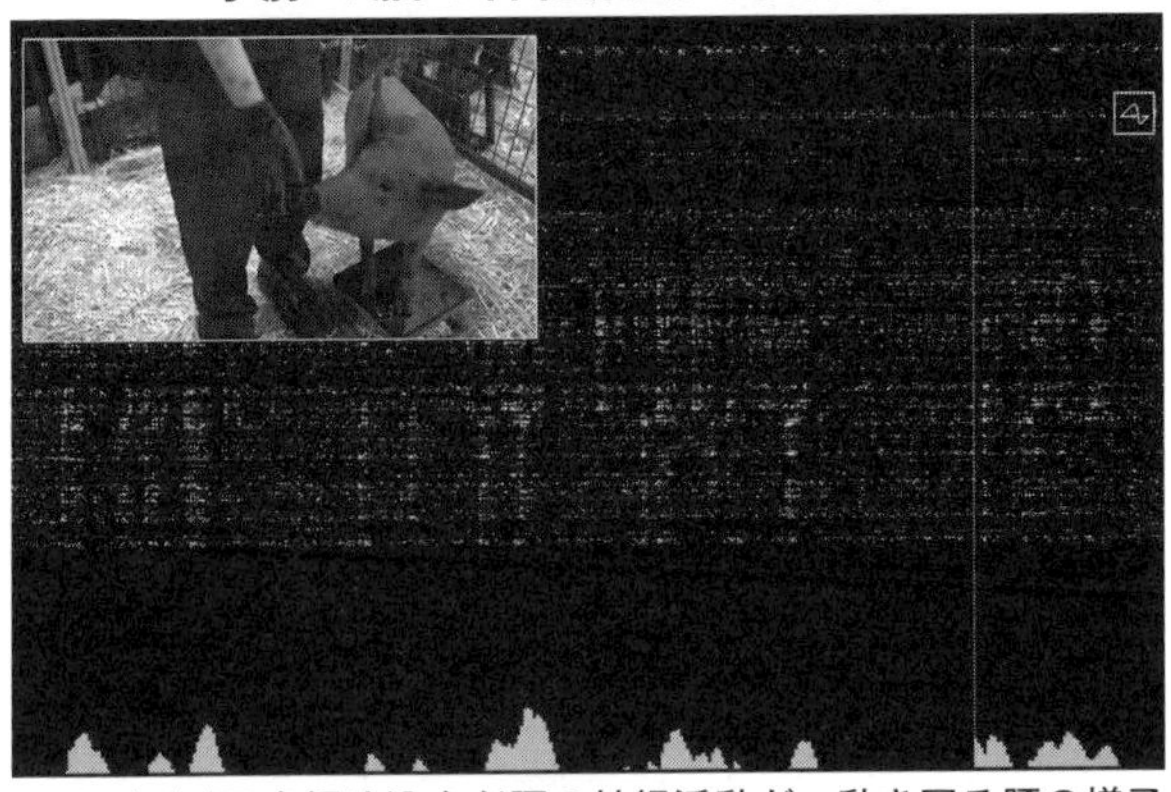

BMIデバイスを埋め込んだ豚の神経活動が、動き回る豚の様子とともにリアルタイムで表示された
（動画「Neuralink Progress Update, Summer 2020」から）

脳の皮質に縫いつけるのだという。

ワイヤは一本が約五マイクロメートル（一〇〇〇分の五ミリ）で、髪の毛よりも細い（髪の毛は五〇～一〇〇マイクロメートル）。また、「縫いつける」手術のためのロボットも開発された。そのロボットが動く様子を目の当たりにした記者たちは、「まるでミシンのようだ」と感想を漏らしている。

マスクによれば、「（ロボットによる手術のリスクを）視力矯正のレーシックと同じレベルにまで下げる」ということであった。マウスを用いた実験を終えたことも明かされた。

■〝三匹の子豚〟が登場

その翌年、二〇二〇年八月二八日には、オンラインのライブイベントで新たな発表を行なった。このとき紹介されたのが、前述の「N1リンク」（別名「リンク0・9」）である。一年前に公開したワイヤ付きのBMIを小型化することに成功したわけである。

イベントで注目を集めたのは、三頭の子豚によるデモンストレーションである。囲いに入った〝三匹の子豚ちゃん〟が実際に登場した。

一頭の豚の脳には、二カ月前からBMIデバイス（N1リンク）が埋め込まれている。もう一頭は、一度デバイスを埋め込み、のちに取り出した豚であり、残る一頭には一度も埋め込まれていない。すなわち条件の異なる〝三匹の子豚ちゃん〟を同時に見せることで、実験の正確性を示そうとしたわけである。

デバイスを装着した豚は、「ガートルード」（Gertrude）と名づけられていた。ちなみに、N1リンクを埋め込んでいない豚は「ジョイス」（Joyce）、取り外した豚の名は「ドロシー」（Dorothy）である。これらの名から、三頭ともメスであることが分かるのだが、

目標は人間の脳への埋め込み

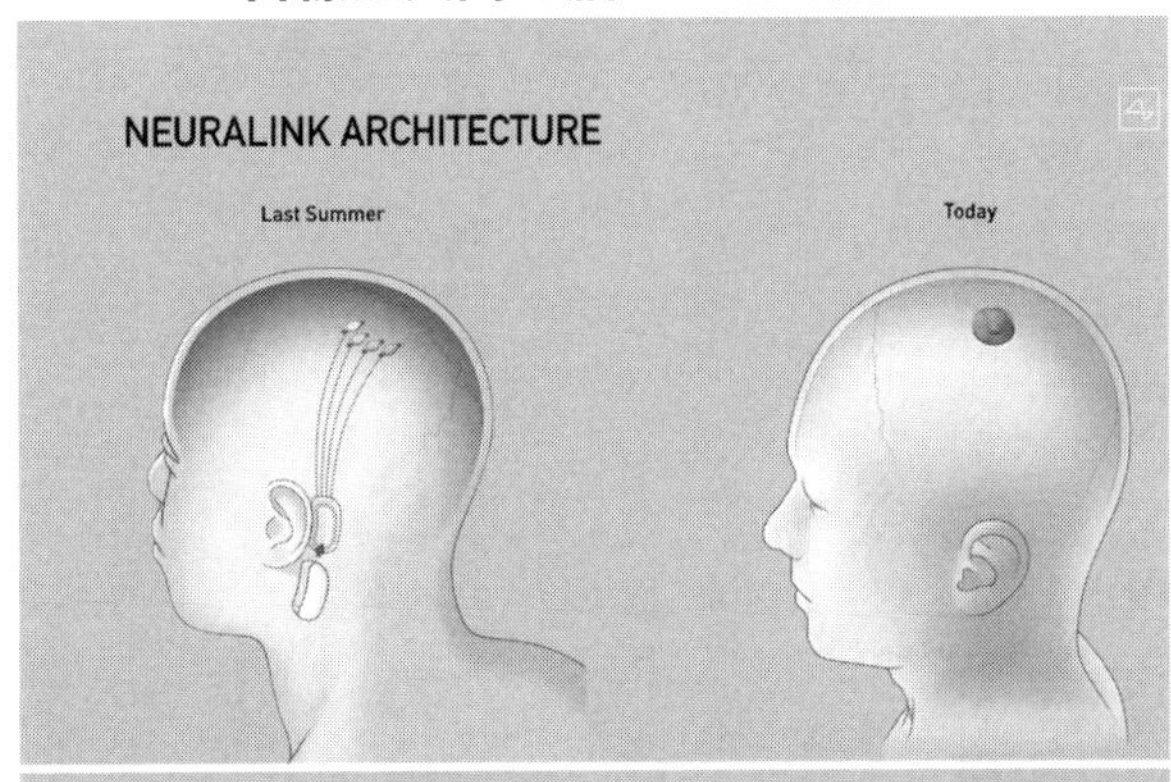

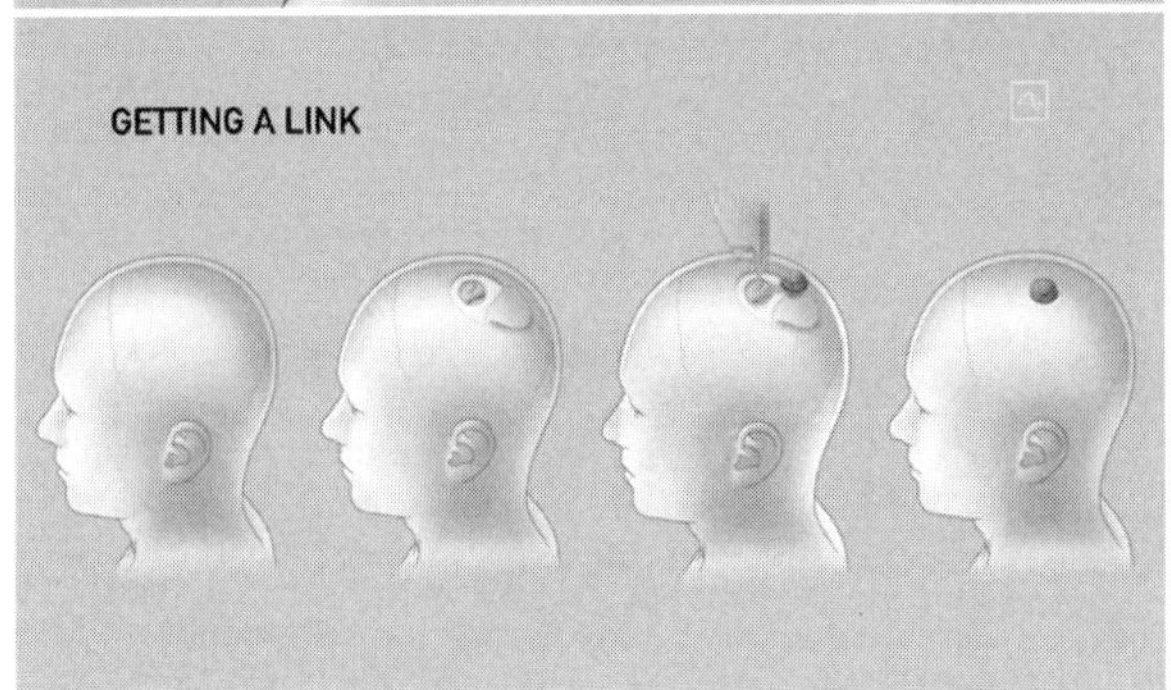

㊤初期型のデバイス（左）とN1リンク（右）の比較。初期型は耳の後ろにあるチップから細いワイヤが延びているが、N1リンクでは一体化した
㊦N1リンクを埋め込む手術の流れ。1時間で終了するという
（どちらも動画「Neuralink Progress Update, Summer 2020」から）

どの豚も同じように活発に動き回っている。

そしてガートルードが何かの臭いを嗅ごうとして動くとき、N1リンクが鼻の神経活動を検知し、モニターに「ニューロンの発火」がリアルタイムで映し出された（25ページの画像）。

——このデモンストレーションから八カ月後の二〇二一年四月九日、〝脳波でゲームする猿〟の動画が公開されたのである。


もちろん、こうした子豚や猿を使った実験には「動物虐待ではないか」との批判もあるのだが、それについては後述する。私がここで強調しておきたいのは、イーロン・マスクにとって動物実験は通過点に過ぎない、ということである。

前述したようにマスク自身、ニューラリンク設立発表（二〇一七年）の場で、「一〇年以内に人間の脳とコンピュータが対話できるようにする」と宣言した。つまり彼にとってBMI開発の到達点は、やはり人間なのである。

人間の脳にデバイスを埋め込む開頭手術は、すべてロボットが自動で行ない、約一時間

「人間が失った能力を補う」

デバイス埋め込み手術用のロボットを前にプレゼンするマスク
(動画「Neuralink Progress Update, Summer 2020」から)

で終了する(27ページの画像と上の写真)という。だが、それによる「到達点」とは、どのようなディテールを想定し、何を人間にもたらすのか。私たちは、この視点を忘れてはならない。

■「神経疾患の治療」だけを目指すのか

猿がゲームをする動画の終盤、ナレーションがこう告げる。

「私たちの目標は、麻痺の患者が脳の活動だけでコンピュータや電話を操作できるようにすることです」

マスクも同様の言葉を残している。

「脳とコンピュータを一体化させる技術は、脳と脊(せき)

髄(ずい)の損傷に対応し、人間が失った能力をインプラントで補(おぎな)うことを目指しています」

またニューラリンクによれば、BMIが解決すべき目標として、麻痺の他に記憶障害、難聴、視覚障害、鬱(うつ)、不眠、激痛、発作、不安、依存症、脳卒中などを挙げる。いずれも専門医が言う「神経疾患」である。

このように、ニューラリンクのBMIは、脳＝神経の疾患をケアすることが目標であると強調する。しかし、それだけだろうか。

マスクは言う。

「（BMIというテクノロジーによって、人間は）基本的に、記憶をバックアップとして保存し、また復元することができるでしょう。そして最終的には、それらの記憶を新しい身体もしくはロボットのボディにダウンロードできる可能性があります」（二〇二〇年八月のデモンストレーションで）

人間の記憶力は加齢とともに低減(ていげん)する。また、幼少期から青年期に覚えたような古い記憶は長期的に残るものの、中高年になってからの新しい記憶は、上書きされるたびに、その分が消去されるという。つまり、脳による記憶には限界がある。マスクが言う「記憶のバックアップ」は、こうした人体の生理的なメカニズムを覆すものだ。

記憶を保存・復元し、「新しい身体」や「ロボット」にダウンロードする。それは私が「はじめに」で述べた「人間のサイボーグ化」に他ならないであろう。

ではなぜ、イーロン・マスクは、このような思考を持つに至ったのか。それを解読する鍵は、彼のビジネス戦略そのものにある。

マスクは敵をつくり、敵と戦う

ＩｏＢビジネスのリーディング・カンパニーとして、にわかに世界の注目を浴びるようになったニューラリンク。二〇二一年現在、調達した資金は一億五八〇〇万ドル（約一七〇億円）で、そのうち一億ドルをマスクが出資した。設立発表時（二〇一七年）の二六九五万ドルから、およそ六倍増である。非上場であるが、技術者、研究者、医師など約二〇〇名のスタッフを擁しているという。マスクは「将来、一万人を超える」と豪語する。

電気自動車（テスラ）、宇宙開発（スペースX）、太陽光発電（ソーラーシティ）、地下トンネル（ボーリング・カンパニー）などの事業領域に参入し、成功を収めてきたマスクがニューラリンクを立ち上げたのは、前述のとおり二〇一六年七月である。

マスクのビジネス戦略を一言で表わすなら、「敵をつくる」と言えるだろう。

まず敵をつくり、その敵と戦う。そして、自分が戦う姿勢を周囲にアピールすることで世間の関心を呼び起こし、ファンを増やしてゆく。SNSを駆使してフォロワーを増やす。それがビジネスを展開するうえでの基本戦略である。

次章でも触れるが、マスクは幼いころ小柄で、よくいじめに遭った。いじめから自分を守るためには戦わなければならない。つまり「敵」であるいじめっ子と戦って、勝つためにはどうすべきか、ということを常に意識し、成長してきたのがマスク少年なのである。彼がビジネスを始めて今日の成功に至るまでの背景には、この生育環境における原体験が色濃く反映している、と私は考える。

誰も気づいていない「敵」の存在を強くアピールすることが、マスクにとってビジネスモデルを築く橋頭保(きょうとうほ)なのである。

最初の「敵」はAIと地球温暖化

イーロン・マスクが最初にビジネス上の敵としてアピールしたのは、AI(人工知能)と地球温暖化であった。

インターネット社会の現代では、コンピュータが生活を豊かにし、これからはAIなくして生きてはいけない、と人々は思っている。AIを肯定的に捉(とら)える考え方が支配的である。

しかし、マスクは違った。彼はAI化が加速的に進行する未来を見通して、こう考えたのだ。発言の要旨を紹介しよう。

「このまま行けば、人類がこれまで想像できなかった時代に直面する。想像できないということは、人間の能力や知力を圧倒的に上回るデータ収集力・分析力を持ったAIが登場する未来を意味する。人間がこなしてきた仕事は、ほとんどAIに取って代わられるだろう」

「しかも、人間は欲望に弱い存在だから、都合のいいように環境を破壊して、二酸化炭素（CO_2）をまき散らし、地球温暖化をもたらしている。このまま手を拱いていれば、人類と地球にとって取り返しがつかなくなる。危機的状況が、明らかに人類に向かって牙を剝いている」

このように、マスクはＡＩと地球温暖化を敵視した。ここでは、地球温暖化問題はひとまず措く。ＡＩという「敵」に対して、自分は敢然と立ちあがり、戦うヒーローなのだとするイメージを演じているのがイーロン・マスクその人である――そう言っても、私は過言ではないと思う。

■似た者同士――マスクとトランプ

余談になるが、見方によっては、マスクはアメリカのトランプ前大統領と通じるところがあると言えよう。トランプは、アメリカにとって最大の「敵」は中国だ、と声高に主張

この二人の共通点とは？

「敵と戦うヒーローはオレだ」というスタンスが通じる。2017年２月、左がマスク　（AFP＝時事）

した。新型コロナウイルスでアメリカの雇用が脅かされている状況も、すべて中国に原因がある、と演説やSNSで攻撃した。こうして中国という目に見える形の外敵をつくり、中国共産党を敵視することによってアメリカ国民を団結させる。それがトランプの、一つの戦略であった。

通じる部分があるからなのか、イーロン・マスクもトランプ大統領時代の一時期、環境問題に関する諮問委員会のメンバーとして招かれ、意気揚々とトランプとのツーショットを公開していた。

ただし、トランプは本来、環境問題には後ろ向きで、気候変動対策の国際的な枠組みであるパリ協定から離脱した（二〇一九年一一月、国連に離脱を通告）。「地球温暖化はフェイクニュースだ。そんなものは存在しないのだ」などと発言し、次第にマスクと疎遠になり、ついには袂を分かつことになったのである。

とはいえ、「敵」を想定することで人々の危機感を煽り、その敵に敢然と立ち向かうヒーローが自分であるとするスタンスは、やはりイーロン・マスクとドナルド・トランプの共通点であることに変わりはない。

■プーチンとも意気投合

またマスクは、ロシアのプーチン大統領とも気脈を通じている。

意気投合した間柄と言ってもよいほどで、二〇二一年二月一三日にはマスクがツイッターで「（音声SNSの）クラブハウスで私と会話しませんか？」と、プーチンに呼びかけている。このツイートにはロシア大統領府の公式アカウント（@KremlinRussia_E）がタグ付けされていた。プーチンへのメッセージであることを明確にしたわけである。

なぜ彼らは親密になったのか。

その理由は、ＡＩにある。二人とも、「ＡＩが人間を上回る時代が来るのは時間の問題だ」という危機感を共有しているのである。

プーチンもマスクも「ＡＩが第三次世界大戦の引き金を引く恐れがある」と言う。そしてプーチンは、ＡＩは核兵器よりも危険であり、人類をコントロール下に置いて奴隷化する恐れさえある――こうした発言を、ロシア国内はもとより、海外でのＩＴに関する国際会議の場でも繰り返し、ＡＩへの警鐘（けいしょう）を鳴らしている。

「ＡＩは核兵器よりも危険だ」というプーチンの発言に気をよくしたのか、マスクは北朝鮮の核開発にも言及したことがある。

周知のとおり、国際社会は北朝鮮の核ミサイル開発を懸念（けねん）している。アメリカ本土にまで到達するＩＣＢＭ（大陸間弾道ミサイル）「火星（ファソン）15」の発射実験も終えている核の脅威を、いかに封じ込めるか。いまだＧ７（先進七カ国）外相会合でも協議が続く世界的課題である。

ところが、マスクは「北朝鮮の核ミサイルなど、まったく恐れる必要はない」と言ってのける。なぜなら「北朝鮮の金正恩委員長は〝低能児〟だから」なのだという。金正恩は大統領時代のトランプと、二〇一八年六月（シンガポール）、二〇一九年二月（ハノイ）、二〇一九年六月（板門店）の三回にわたり会談したが、マスクに言わせれば「わずか三回の会談で、金委員長はトランプ大統領にコロッと丸め込まれた。（国際外交の舞台で）簡単に騙されるような低能児だ」ということである。

この見方が正当かどうかには議論の余地もあるが、ともかくマスクは、金正恩を低能と断じる。そして、いくら北朝鮮が「中長距離の核ミサイルを開発した」と対外的に豪語しても、レベルの低い人物を指導者に戴く国家がアメリカに戦争を仕掛けることはあり得ない、その大胆さも持ち合わせていない、と発言したのである。

■ＡＩに勝つために、脳とＡＩが合体する

北朝鮮についてはマスクのような見立てもあるかもしれない。しかし世界には、核兵器ではない〝武器〟で覇を争おうとする動きがあることも事実だ。その武器こそがＡＩな

のである。

イーロン・マスクが最も懸念するのは、ＡＩそのものが自己増殖することだ。ＡＩ自らが学習し、人類が間違った方向性に進みそうだと判断したとき、それを正す。すなわちＡＩが人類に君臨し、人類を管理する――マスクは、そうした状況が遅かれ早かれ出来するだろうと危惧している。

では、そんな状況下で人類が生き残っていくためには、どうすればよいか。マスクが導き出した解は、こうである。

「ＡＩと戦える、あるいはＡＩを上回るだけの知力と能力を、人間が持たなければならない」

ＡＩを上回る能力を持った人間の誕生。つまり人間の脳とＡＩが合体し、一体化する必要がある、とマスクは言う。その理念の下、新しいビジネスとして立ち上げたのが、ＩｏＢスタートアップ企業のニューラリンクなのであった。

ＡＩが人類にもたらすリスクに警鐘を鳴らしているのは、マスクやプーチンだけではない。たとえばイギリスのスティーヴン・ホーキング博士（二〇一八年に物故）も、その一人である。〝車椅子の天才〟として知られる物理学者のホーキング博士は、ことあるごとにAIへの懸念を表明してきた。亡くなる直前に執筆した著作では、こう述べている。

「私にとって気がかりなのは、AIの性能が急速に上昇し、自ら進化を始めてしまうことです。遠い将来、AIは自分自身の意志を持ち、私たちと対立するようになるかもしれません。超知能を持つAIが到来することは、人類史上、最善の出来事になるか、または最悪の出来事になるでしょう」

(Stephen Hawking, *Brief Answers to the Big Question*［Hodder&Stoughton,2018］拙訳)

■ホーキング博士との意見交換

実はホーキング博士の呼びかけで、IT企業のトップたちと意見交換の機会が設けられたことがある。そこに参加したのが、他ならぬイーロン・マスク、そしてマイクロソフトのビル・ゲイツだった。

AIへの危機感を共有

㊧ホーキング博士、㊨ビル・ゲイツ。マスクとともにAIの未来を懸念し、意見交換を行なった　（㊧ANP/時事通信フォト　㊨時事）

三人は、人類に君臨するAIの出現という問題意識を共有していたのである。〝人間不信〟に陥ったAIが、「人類に任せていては、地球環境がとんでもない方向に行く。ならば、AIが人類に代わって地球を守る」という判断を下してしまいかねない。そんな危機感から、三人の意見交換は充実したようである。

当時、マスクはスペースXの原点とも言うべき構想を表明していた。地球を脱出して月に資源を求め、その先は火星に移住しよう、というものである。この宇宙開発へ視線を向けるマスクを好感し、ホーキング博士が意見交換を呼びかけたのは、自然な成り行きであると言えよう。

また、ホーキング博士、マスク、ビル・ゲイツに限らず、先見性のある世界の未来研究者たちも、人類の未来をＡＩとの競争という観点で捉えている。ＡＩの持つ可能性とリスクに対しては、相当に深く議論がなされている状況である。技術革新を無批判に受け入れるだけではなく、その技術に内在する危険性に対して警告が発せられてきた、産業革命以降の歴史を無視することはできない。

現代は、ＤＸ（デジタルトランスフォーメーション）の波が社会を席巻しつつある。ＤＸ（Digital Transformation）を簡単に定義すれば、「デジタル技術の活用で人々の暮らしやビジネスのあり方が変容すること」だが、人々も企業もＤＸを礼賛しすぎてはいないだろうか。デジタル技術が進化すればするほど、セキュリティのリスクは増大する。そして技術が〝暴走〟しないという保証はないのである。

この観点から言えるのは、マスクが唱える「ＡＩを上回る人間の誕生」は、一つの文明論的な思想なのかもしれない、ということである。

■「人間コンピュータ・サイボーグ」を誕生させる

　こうした時代と社会を背景に、イーロン・マスクはＩｏＢ企業のニューラリンクをスタートさせ、二〇一七年の時点で「人間の脳に埋め込み式のコンピュータ・チップを導入する。一〇年以内に、すべての人類にこのインプラントを普及させたい」と宣言した。

　マスクお得意の大風呂敷（ビッグ・マウス）と見ることもできよう。しかし一見、荒唐無稽（こうとうむけい）な内容でも、マスクが真正面から言うと説得力を持ってしまうから不思議である。多くのメディアや研究者たちが、マスクの〝宣言〟を受けて「もしかしたら、本当にそういう時代が来るのかもしれないな」と受け止めたことは間違いない。同時に、ＡＩの未来に対して危機感を煽られてもいる。記者発表でのプレゼンテーションや、ＳＮＳを駆使した発信には、マスクの周到（しゅうとう）な戦術が隠されているのだ。

　マスクがニューラリンクを通じて達成しようとする試（こころ）みの到達点は、前述したように「人間の脳とＡＩの合体」である。言い換えるなら「人間コンピュータ・サイボーグ」を誕生させることであり、私が指摘した「人間のサイボーグ化」である。このサイボーグによって、人類を滅亡の淵から救い出そうと、マスクは本気で考えている。

「コンピュータ・チップ（BMIデバイス）を脳に埋め込まなければ、間違いなく人類は〝不死身の独裁者〟の言いなりになってしまうだろう」

マスクの言葉である。「不死身の独裁者」がAIを指すのは言うまでもない。

恐るべき独裁者になり得るAIと戦うには、すべての人間をハイパー・スマートな能力を持つサイボーグにしなければならない。すなわち「生命とデジタルの融合」が欠かせない、とマスクは訴えるのである。

彼は自身のSNSフォロワーに向けて、こうアピールする。

「知力、体力、想像力……人間の能力には限界がある。しかしながら、AIを搭載したロボットは、その限界を突破する無限の可能性を秘めている。ならばロボットの能力を人間に導入すればよい。私はそのための技術を開発し、すでに特許を押さえている。この特許を実用化することによって、私は人類を救う。（自分に課せられた）大きな使命を実現するのだ」

人間の能力拡張

マスクは「人類を救う」ために、テクノロジーを用いて人間の能力を拡張しようと余念がない。ただし、こうした取り組みはニューラリンクの専売特許ではなく、すでにアメリカが軍事的な応用研究を進めてきた。卑近な例が、ＴＡＬＯＳ（Tactical Assault Light Operator Suit）である。日本語では「戦術的攻撃用軽量オペレーションスーツ」などと訳される。

これは米特殊作戦軍（US SOCOM）が主導し、二〇一三年から開発を進めたもので、別名が「パワード・スーツ」。読んで字のごとく「スーツ」であり、海軍や陸軍の特殊部隊の兵士が身に着ける装備である。ＴＡＬＯＳを着用すると、自身の能力よりも速く走れ、高くジャンプでき、重いものを軽々と持ち上げて運べるという触れ込みであった。だが、二〇一九年には開発プロジェクトが解散してしまう。

ＴＡＬＯＳの開発は、人間の「身体＝ボディ」能力を飛躍的に高めることに重点が置かれていたわけであるが、その一方で、軍の研究は人間の内面的な「意識＝マインド」にも及んでいた。すなわちマインドを強化することによって、兵士自身の能力を高める。同時に、敵対する相手のマインドへの影響力も行使し、コントロールする――そうした目的の研究も進んでいるのである。

「マインド」（mind）と聞いて、何か思い出さないだろうか。そう、ニューラリンクが公開した猿の動画のタイトルは「Monkey MindPong（モンキー マインドポン）」である。英語の「マインド」は「心」や「精神」のみならず、前述した「思考」「想像力」、さらに「知性」「注意」「判断力」「意見」、そして「意識」といった幅広い概念を有する。いわば「マインド」とは、繊細な脳の活動全般をカバーする単語なのである。

さて、人間のマインドに着目した軍事的研究が最初に明らかになったのは、一九五三年のことだ。ＣＩＡ（米中央情報局）がスタートさせた「ＭＫウルトラ計画」（Project MK-ULTRA）である。

ＣＩＡは、第二次世界大戦下のナチスが行なっていたマインドコントロール、たとえばヒトラーが国民を洗脳する手法などを研究し、ＭＫウルトラ計画を立ち上げた。全部で一四九のプロジェクトがあり、薬物や超音波、さらには放射性物質、拷問などを用いた実験が繰り返されたと言われる。もちろん、目的は人間のマインドコントロールである。

しかし、被験者のプライバシーや基本的人権を侵害する恐れが表面化し、ＭＫウルトラ

“洗脳実験”の証拠

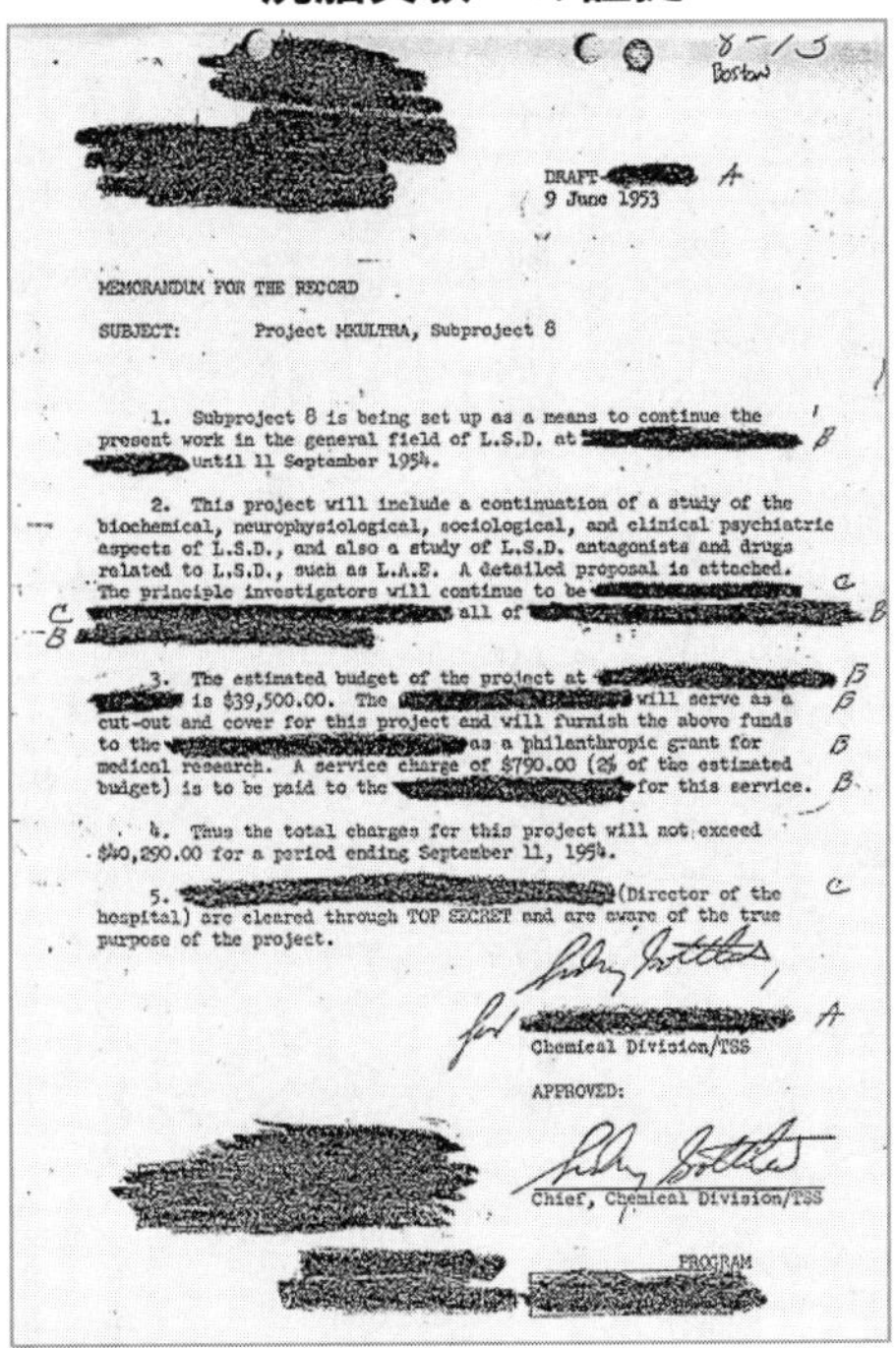

8-13
Boston

DRAFT- A
9 June 1953

MEMORANDUM FOR THE RECORD

SUBJECT: Project MKULTRA, Subproject 8

1. Subproject 8 is being set up as a means to continue the present work in the general field of L.S.D. at until 11 September 1954.

2. This project will include a continuation of a study of the biochemical, neurophysiological, sociological, and clinical psychiatric aspects of L.S.D., and also a study of L.S.D. antagonists and drugs related to L.S.D., such as L.A.E. A detailed proposal is attached. The principle investigators will continue to be all of

3. The estimated budget of the project at is $39,500.00. The will serve as a cut-out and cover for this project and will furnish the above funds to the as a philanthropic grant for medical research. A service charge of $790.00 (2% of the estimated budget) is to be paid to the for this service.

4. Thus the total charges for this project will not exceed $40,290.00 for a period ending September 11, 1954.

5. (Director of the hospital) are cleared through TOP SECRET and are aware of the true purpose of the project.

for
Chemical Division/TSS

APPROVED:

Chief, Chemical Division/TSS

PROGRAM

MK ウルトラ計画の指導者、シドニー・ゴッドリーブ博士による 1953 年 6 月 9 日付の文書。幻覚剤 LSD を使ったプロジェクトについて書かれている。関連文書は破棄されたはずだったが、一部が残っていた

計画は廃止された。プロジェクト開始から二〇年後の一九七三年には、ＣＩＡ長官の命令で関連文書が破棄されている（ごく一部が残っており、一九七五年に公開された／前ページの写真）。

とはいえ、後述するが、「人間をプログラミング化してコントロールする」というＭＫウルトラ計画の神髄は、実は地下水脈のように今日も研究が続いているのである。

イラク戦争で使われたオバマ時代の脳改革計画

アメリカはオバマ大統領時代の二〇一三年に、「脳の改革」（BRAIN Initiative）という計画を立ち上げている。六〇億ドル（約六〇〇〇億円）の予算を計上し、そのうちの四五億ドルはＮＩＨ（国立衛生研究所／National Institutes of Health）に提供された。そしてＮＩＨが研究を始めたのは、なんと脳埋め込み式のインターフェースであった。まさしく、イーロン・マスクのニューラリンクが取り組むＢＭＩの源流である。

それとは別に、ＮＩＨは「Ｖ２Ｋ」と呼ばれる技術の研究を進めてもいる。

V2Kとは「Voice-to-Skull（ボイストウスカル）」の略称で、音声（voice）を頭蓋骨（skull）に直接送信する仕組みのことである。特殊な波長の電波を特定の相手に照射（しょうしゃ）すると、耳を通さずに相手の頭蓋骨へ届き、脳神経に共鳴する。つまり電波を当てられた側は、本来「聞こえていない」音を「聞こえた」ように認知することになる。テレパシーをイメージすれば、分かりやすいかもしれない。

V2Kの研究自体はNIHが最初ではなく、米ソ冷戦時代から科学者たちがアプローチしてきたものであり、当然、軍事への転用が図られた。何しろ別名を「神の声兵器」（Voice of God Weapon（ボイスオブゴッドウエポン））と呼び、実際にイラク戦争（二〇〇三～二〇一一年）で米軍が使用したのである。

米軍はイラク軍の兵士たちをターゲットに、「武器を捨てよ」「私はアラーである」などといった音声メッセージを、特殊電波発生装置から送りつけた。イラク兵の脳に直接、影響を及ぼす電波を浴びせかけ、戦意を喪失させることが目的である。イラク兵にしてみれば、あたかもアラーの神が自分に「こんな戦争はもうやめなさい。武器を捨てて和解しなさい」と呼びかけているように聞こえる。

Ｖ２Ｋがイラク戦争でどれほどの効果を挙げたのか、例証は詳らかでないが、テクノロジーを軍事転用し、実戦に使用した事実は、〝パンドラの匣〟を開けてしまったと言えるだろう。いかに「テロリズムを封じる」という大義名分があったにせよ、もはや取り返しがつかないのである。後述するが、この危険性は、現代のＩｏＢにも通じるのだ。

水面下で続いていたマインドコントロール研究

ＣＩＡのＭＫウルトラ計画が一九七三年までに頓挫した、と前述した。だが、その神髄は地下水脈のように今日も研究が進んでいる、とも私は述べた。では、ＣＩＡの〝マインドコントロール計画〟を継承しているのは何者なのか。それは他でもない、現代のＩＴ企業である。まずグーグルを取り上げよう。

イギリスに「ディープマインド」(DeepMind)というＡＩの企業がある。囲碁プログラムの「アルファ碁」(AlphaGo)で知られるが、かつてはイーロン・マスクも投資しており、二〇一四年にグーグルが買収して親会社アルファベット(Alphabet)の傘下に収めた。買収金額は六億五〇〇〇万ドル（約六八〇億円）とも推定される。

ディープマインドは、ＡＩ関連の技術開発では世界をリードする存在である。二〇一〇年の設立以来、「天才的ゲームプレーヤー」の異名をとるデミス・ハッサビス（Demis Hassabis）ＣＥＯの下で、人間を凌駕（りょうが）するロボットや自動航行システムの開発を進めてきた。

グーグルは「わが社の未来はＡＩにかかっている」との認識から、ディープマインドを買収したのである。現在、ハッサビスはグーグルのレイ・カーツワイル（Ray Kurzweil）博士が率いる未来創造チームに参加している。カーツワイル博士は、知る人ぞ知る「不老不死研究」の第一人者である。ディープマインドの最終目標は「人間と同じ知性を持ったＡＩを生み出すこと」というわけで、グーグルとは発想的に共通点があったことは間違いない。

そんなディープマインドが二〇二〇年一一月、ＡＩを駆使した「アルファフォールド」（AlphaFold）システムによって、タンパク質の構造解析に成功したと発表。タンパク質がどのように折りたたまれて立体構造になるのか、という課題は六〇年前から科学界を悩ませてきた。この問題が解決されれば、病気の広がり方やアレルギー反応が引き起こされる過程も解明される。その意味では、新型コロナウイルスによる感染を食い止めたり、将来のパンデミックを予防したりすることにもつながると期待されている。

■AIをめぐる企業間の激しい競争

ディープマインドはニューヨークにも研究開発拠点を準備中であり、世界中から優秀な頭脳をヘッドハンティングしている模様である。実は、ライバルであるフェイスブックのAI研究部門の創立メンバーまで引き抜いたことで大きな話題を呼んでいる。それだけ熾烈な開発競争が展開されているのが、ディープラーニング（Deep Learning）を活用したAIの世界に他ならない。

もともとグーグルはAI研究に熱心であったが、ディープマインドを傘下に収めたことで、さらに拍車がかかったようである。目下の取り組みは、AIを駆使して人間の深層心理（マインド）に働きかけ、行動を一定方向に誘導しようというものだ。

また、フェイスブックも「ＣＴＲＬラボ」(CTRL-labs)というスタートアップ企業を二〇一九年に買収した(買収金額は非公開)。この会社は「非侵襲性神経インターフェース」と呼ばれる技術を研究開発している。簡単に言えば、コンピュータを操作する際にマウスを使わず、意識するだけで済む技術である。

腕に付けたリストバンドが脳の電気信号を読み取り、人間の手指に代わってコンピュータを操作できるのだという。イーロン・マスクの「Ｎ１リンク」が体内埋め込み式であるのに対し、こちらはいわゆるウェアラブルだ。だから「非侵襲性」(身体を傷つけない)と呼ぶわけである。

現時点で、リストバンドによる脳神経の動きの解読率は七六％程度と言われるが、フェイスブックはこの技術をＡＲ(拡張現実)とＶＲ(仮想現実)の分野に応用しようと目論んでいるようだ。副社長のアンドリュー・ボスワースは次のように話している。

「(リストバンドは)人間の意図を読み取ります。だから何かをしようと頭の中で考えるだけで、写真を友だちと共有できたりします」

■ヘイトスピーチ対策にも

さらにフェイスブックは、AIをヘイトスピーチの規制にも活用すべく研究を進めている。ネット上に拡散するヘイトスピーチが批判に晒されているのは周知のことだが、フェイスブックとしてはそれを放置できない。そこで、ユーザーの履歴から「この人の投稿はエスカレートして、ヘイトスピーチになりそうだ」とAIが判断し、問題が発生する前に削除しようとするものである。

AIは、ユーザーが投稿した単語やテキストなどをデータとして蓄積し、パターン化する。そして特定ユーザーがヘイトスピーチの傾向を示した段階で、自動的にそのアカウントからの投稿を遮断する。こうした〝潜在的ヘイトスピーチ〟を九五%、事前に削除することがフェイスブックの目標となっている。

とはいえ、SNSのプラットフォーム事業者（プラットフォーマー）であるフェイスブックが、いたずらに投稿を規制するのは問題が残る。ツイッターもしかりで、トランプ米前大統領のツイートが支持者の連邦議事堂乱入を煽ったとしてトランプのアカウントを閉

フェイスブックが目指す「AIと脳」

脳の信号を解読するリストバンドを開発中。㊧会長兼CEOマーク・ザッカーバーグ、㊨AR／VR担当副社長アンドリュー・ボスワース　（フェイスブックの公式HPから）

鎖したが、これには言論弾圧だとの抗議の嵐が巻き起こった。

フェイスブックは、ただでさえユーザーの顔認証をはじめとする生体データを、無断で蓄積している。そしてこれがプライバシー侵害であるとの集団訴訟を招き、二〇二〇年一月には和解金五億五〇〇〇万ドル（約六〇〇億円）を支払う羽目になった。プラットフォーマーが恣意的に個人の領域へ介入することには、一定の歯止めをかけざるを得ない状況である。

それでも、ヘイトスピーチや残虐な画像など過激な投稿を看過できないということを大義名分に、グーグルもフェイスブックもＡＩ

による個人の管理・監視の動きを止めることはないだろう。その動きが行き着く先は、人間の脳内なのである。

■民間機関と政府でも進む研究

アメリカではＩＴ企業以外にも、脳とコンピュータを繋ぐ研究を進める組織が存在する。民間の大学と医療機関、そして政府自体である。

たとえばスタンフォード大学の「脳刺激研究室」(Brain Stimulation Lab)は、パーキンソン病の治療を目的として、脳への刺激を与える研究を三〇年以上、続けている。また、カーネギーメロン大学の「神経科学研究所」(Neuroscience Institute)では、四肢の麻痺患者が脳波だけで動けるようにと、脳デバイスを開発中である。

このデバイスは「ＢＣＩ」(Brain - Computer Interface)と呼ばれ、ニューラリンクの「ＢＭＩ」(Brain Machine Interface)と若干、異なるのだが、脳神経の活動を読み取り動作指示の信号に変換するという基本線は同じである。ただ、ＢＭＩが頭蓋内に埋め込むイ

脳波で動くロボットアーム

カーネギーメロン大学が公開した動画。ロボットアーム（右奥）が脳波で動き、モニター上のマークを追う。手前は頭部にセンサーを付けた被験者 （Carnegie Mellon University, "Breakthrough in Non-Invasive Mind-Control of Robotic Limbs"）

ンプラントであるのに対し、現在カーネギーメロン大学が取り組むBCIのほうは皮膚に貼るセンサー、すなわち非侵襲的デバイスである。すでにロボットアームによる実証実験を終えている（上の写真）。

民間医療機関では、ミネソタ州のメイヨー・クリニックが代表例と言えよう。スタンフォード大学と同様に、脳神経細胞を刺激する。鬱病の治療が目的である。

一方、政府部門で熱心なのは、やはりと言うべきか軍事関係である。

ペンタゴン（国防総省）が管轄するDARPA（国防高等研究開発局／Defense

Advanced Research Projects Agency）は、二〇一九年に脳とコンピュータの連動実験を開始した。またＡＲＬ（米陸軍研究所／U.S. Army Research Laboratory）では、「バイオハイブリッド・ロボット兵士」なるものを開発中である。これは、脳をコントロールすることによって人体の持つ能力をロボット並みに高め、飲まず食わず眠らずに戦える兵士を創出しようとするプロジェクトである。

さらに、米軍と深い関係を持つシンクタンクのランド研究所（RAND Corporation）も軍事的な応用研究が盛んだ。

たとえば最近では、ドローンを手動ではなく、意識すなわち脳で操作できるようにする研究を重視し、米政府に対し積極的に提言を行なっている。ちなみにドローンが軍事用に使われたのは「９・11」以後からと言われ、すでに二〇年の歴史がある。現在、軍事用ドローンを保有する国はアメリカをはじめ、中国、ロシア、インド、オーストラリア、イスラエル、トルコ、イランなどだ。軍事用ドローンという〝無人兵器〟は世界中に拡散している。

軍事目的に使われるのか

こうして見てくると、二つのことが分かる。

一つは、脳とコンピュータに関する研究は先行事例が複数あり、イーロン・マスクが立ち上げたニューラリンクは突発的に出現したのではないということ。

そしてもう一つが、ニューラリンクが進めるＩｏＢ技術は、軍事目的に使われる危険性を孕んでいる、ということである。その可能性は否定できない。

たとえば第5章でも述べるが、テスラが二〇一九年一一月に発表したピックアップ型の電気自動車「サイバートラック」（Tesla Cybertruck）は、そのスペックからして装甲車もしくは戦車になり得る（61ページの写真）。また、スペースＸはＮＳＡ（米国家安全保障局／National Security Agency）や米軍の委託を受けた研究も手がけている。マスクと軍事の関係性は、浅くはないのだ。いかに「脳インプラント開発は神経疾患の治療のため」と唱えても、医療目的の技術が軍事に転用されないという保証はないのである。

イラク戦争で使用されたＶ２Ｋについて説明した際（49ページ）、私はテクノロジーの軍事転用を「〝パンドラの匣〟を開けてしまった」と表現した。パンドラの匣から飛び出してきたのは、疫病、争い、悲しみ、憎しみ、不安、犯罪……人類にとってのあらゆる災厄である。ただ、匣の底に一つだけ残ったものがある。それは「希望」である。私たちは、常に希望を抱き、現実と向き合わなければならない。

■ニューラリンクのリスク

ニューラリンクには、別の危険性も指摘されている。

人間の脳を研究する医療専門家たちは、マスクが言うように「脳をコントロールして人間の能力を飛躍的に拡張する」など、簡単にできることではないと口をそろえる。また、神経疾患に苦しむ患者にとっては福音かもしれないが、実際に脳インプラント（ＢＭＩデバイス）を装着する選択を迫られたときに、外科的手術や副作用のリスクを受け入れられるのか、との声もある。

さらに、ニューラリンクの元社員とされる人物からの内部告発が続出しているのだ。

戦場でも使えそうな電気自動車

テスラが発表したピックアップ型EV（電気自動車）「サイバートラック」。外観も性能も装甲車のようだ　（AFP＝時事）

マスクによれば、ニューラリンクの実験・研究は医療面への応用を視野に入れたものであり、FDA（米食品医薬品局／Food and Drug Administration）の承認を得ている、と安全性を強調する。

しかし内部告発者は、実は動物実験の段階で失敗の連続だったと訴える。失敗が表面化していないだけで、ニューラリンクの社内はカオス状態なのだ、と言うのである。前述した三頭の子豚によるデモンストレーションが、動物虐待ではないかと批判されたのは、こうした内部告発に起因するようである。

付け加えるなら、マサチューセッツ工科大学（MIT）の脳研究者の間でも、このデモンストレーションには疑問を寄せる声が多い。「これほど馬鹿げた講演はない。これはニューロサイエンス劇場であって、面白おかしく見せるための演出だ。豚を使った実験は古くから行なわれている。医療面へ応用するための道筋がきちんと示されない限り、豚の動きを脳波から分析するなど、まったく意味をなさない」と手厳しい。

しかもデモンストレーションの場では、取材陣から「このイベントは資金集めが目的ではないのか?」との質問が飛んだ。マスクは「いや、そんなことはありません」と否定し、続けてこうも答えた。

「(BMIは)新しい研究なので、このようなデモンストレーションを多くの人に見てもらい、自分も研究に加わりたいという優秀な人材を広く募集して歓迎したいのです」

たしかにニューラリンクのウェブサイトを開くと、エンジニアリング、科学、マネジメントなど、あらゆる分野の専門家に門戸を開いている。それでも多くの内部告発者は、マスクは自分の名誉心や金儲けに繋がりさえすれば何でもありで、そのビジネスはリスクと背中合わせにある、と批判を忘れないのである。

BMIに副反応はないのか

新型コロナウイルスのワクチンが一年弱で開発されたが、どのような副反応をもたらすのかは不透明だ。そんな状況下で、頭蓋骨を切開して脳に装着するBMIデバイス（N1リンク）が中長期的に人体に及ぼす影響についても、当然のことながらまったく分かっていない。

したがって、マスクのニューラリンクすなわちIoBビジネスを危険視する声は、やはり大きいのである。このような批判に対し、マスクは反論する。

「いや、私は今、自分の頭にN1リンクを埋め込んでもOKだよ」と。

マスクがよく語るのは、「人間には音楽をはじめ芸術的な能力が潜在的に眠っている。にもかかわらず、今の教育や社会環境ではなかなか開花しない。だが、脳インプラントを埋め込むことによって、それを打破できる」ということである。

たとえばスピーカーから流れる音楽を耳で聴（き）くのではなく、電波に変換した音楽を脳で直接、受信すれば、いつでもどこでも気に入った音楽を聴ける。また、自分で作曲、演奏をする能力が備わる。つまり誰でもアーティストになれるし、どこでもアートを楽しめる。人生がより豊かなものになる、とマスクは言う。今ある障害を乗り越えて、人類がもっと自由に活動できる環境をもたらすのだ、と力説する。夢物語のようであるが、マスクの信念が揺らぐことはない。

　軍事目的で開発されたインターネットが民生化され、たしかに私たちの日常生活は豊かで便利になった。この観点に立てば、マスクのＢＭＩ技術は今の生活スタイルを一変させ、新たな人生の楽しみを運んでくるかもしれない。もし、そうした未来が到来したなら、まさにマスクが思い描いた社会が実現できる。ニューラリンクも莫大（ばくだい）な収益を上げるだろう。

　いわば、夢をビジネスにするのがイーロン・マスクという起業家の本質である。ただし、私が繰り返し述べてきたように、彼が次の標的とするＩｏＢビジネスには、さまざまなリスクがつきまとう。夢（ドリーム）と危険性（リスク）は表裏一体なのである。

第2章

天才か、大口叩き(ビッグ・マウス)か

■父と母

イーロン・マスクの〝正体〟を解読するためには、彼の原点である生い立ちから辿らなければならない。人間は誰もが、生まれ育った環境を背負って成長し、体験を積み重ねながら人生を歩むからだ。

マスクは一九七一年六月二八日、南アフリカ共和国の行政首都、プレトリアに生まれた。学校の新学期は日本と違って九月に始まるから、早生まれに入る。

父親は南アフリカ人のエンジニア、エロール・マスク（Errol Musk）。母親はカナダ人のメイ・マスク（Maye Musk）である。なお、ネット上では彼女の名「Maye」を「マイエ」とか「マヤ」とする向きもあるが、英語の発音では「メイ」が最も近く、彼女自身が著わした自伝の邦訳『72歳、今日が人生最高の日』（二〇二〇年七月、集英社刊。原題は *A Woman Makes a Plan*）の著者名表記もメイ・マスクなので、本書もこれに従うことにする。

メイの本業は栄養士だが、モデルの仕事もしており、「ヴァニティ・フェア」や「ヴォーグ」「エル」など有名雑誌の表紙を飾ったこともある。七三歳の今もなお、ショーのス

イーロン・マスク少年が育った家とは

㊤幼少期のマスク（左）と弟のキンバル。母メイのインスタグラムから　(https://www.instagram.com/p/Byxl2plJrkL/?hl=en)
㊦米 NBC の人気番組「サタデー・ナイト・ライブ」に、マスクと登場したメイ　(Nbc ／ Snl ／ ZUMA Wire ／共同通信イメージズ)

テージに立ち、インスタグラムのフォロワー数は五〇万を超える。

マスクはこの母親に強い絆と愛情を抱いているようだ。二〇二一年五月八日に放送された米NBCの人気番組「サタデー・ナイト・ライブ」で臨時の司会を務めたマスクは、母の日にちなんで、メイをスタジオに登場させた（前ページの写真）。マスクいわく「今日の自分があるのは愛する母のおかげだ」。メイはマスクが幼いころから「自分が没頭できることに集中しなさい。そうすれば無限のエネルギーが生まれます」と教えたという。

マスクはこの番組で、「私はアスペルガー症候群（自閉スペクトラム症）だ」と初めて明らかにした。アスペルガー症候群は、周囲と馴染めない発達障害と受け取られがちだが、マスクは「集中力が研ぎ澄まされた」と受け止め、多くの患者に勇気を与えた。メイと仲よく手を繋ぎ、笑顔で生い立ちを語るマスクは、少年時代にもどったかのようだった。

「父ほどひどい男はいない」

マスクの一年後には弟キンバル（Kimbal）が、その二年後には妹トスカ（Tosca）が生まれた。そのころのマスク家は幸福な家庭だったようである。しかし一九七九年、エロールとメイは離婚してしまう。マスクがまだ八歳のときであった。

離婚家庭では、子どもを母親が引き取るケースが多い。だがマスクは弟のキンバルと相談し、父エロールの元へ行くことにした。理由は、「ママは派手で元気だけれども、パパは一人になると寂しそうだから」ということであったらしい。

ところが、のちに父親についてインタビューを受けた際、「あんなに邪悪（じゃあく）でひどい男は、この世界にいないだろう」とマスクは答えている。それがなぜなのか、具体的には多くを語らないマスクだが、エロールの人間性に問題があったことは事実のようだ。

メイはエロールとの離婚理由について、はっきりとＤＶ（家庭内暴力）を挙げている。また、エロールは再婚相手の連れ子とやがて深い関係になり、二〇一七年には一子を儲けたのである。つまり、血の繋がりはないとはいえ、自分の娘を妊娠・出産させたわけである。当時はちょっとしたスキャンダルになった。このときエロールは七二歳、相手は三〇歳。四二歳の年齢差であった。

イーロン・マスクが父エロールを「ひどい男だ」と罵（のの）しったのは、直接このスキャンダルを受けてのことではない。だが、無関係ではないだろう。そして、やはり両親の離婚が幼い心に翳(かげ)を落とし、一緒に暮らした父の人間性を間近で見てきたことも影響しているに違いないと私は推測する。長じて成功者となったマスクは、前述のように母メイとはツーショットで頻繁(ひんぱん)に公(おおやけ)の場に登場するが、父エロールとは絶縁状態なのである。

SFとPCの毎日

マスク少年は九歳のころから地元の図書館に通(かよ)いつめるようになり、さまざまな本を読破する。特に好んだのはSF作品で、「子どもながらに、将来はロケットを造(つく)って宇宙に飛び出るんだ、という夢を膨(ふく)らませていた」とインタビューで答えている。

一二歳になると、「ブラスター」(Blastar)というゲームを自分でプログラミングして、それが地元のコンピュータ専門誌に五〇〇ドル(約一二万円)で売れた。マスクは一〇歳のときにコンピュータを購入し、プログラミングを独学で覚えたのである。こうしてマスク少年は、SFとコンピュータの世界に没入(ぼつにゅう)してゆく。

ただ、図書館通いと自宅でのＰＣ学習が日常の大半を占めた分、友だちと屋外で遊ぶようなことは、ほとんどなかった。学校でも休憩時間は本ばかり読んでいたので、同級生たちからは変人扱いされてしまう。また、前述したようにマスクは小柄だったため、中学校に上がっても相当ないじめを受け、毎日のように怪我（けが）をした。そこで、なんとかいじめに打ち勝とうと、護身術として柔道や空手などにも挑戦したという。

やがて高校卒業の時期を迎える。当時の南アフリカには兵役義務があり、適齢は一八歳だった（現在は志願制）。このまま南アフリカに残ればマスクも兵役に就（つ）くことになる。

一九九四年に撤廃されるまで、南アフリカではアパルトヘイトという人種隔離政策によって黒人が差別されていた（黒人差別は現在も残る）。そして差別に対する黒人たちの反対運動が起きると、軍の兵士が鎮圧に乗り出し、容赦ない暴力を浴びせた。それを目の当たりにしてきたマスクは——とても自分には耐えられない、兵役に就いて黒人を抑圧するのは嫌だ、と思ったのである。そこには、いじめに遭（あ）い続けてきた自身の経験が投影されている。マスクは南アフリカを捨てようと決断した。

カナダからアメリカへ

一八歳のマスクが南アフリカから渡った先は、カナダである。母のメイがカナダ人であることから、彼自身もカナダ国籍を持っていたのだ。一九八九年六月、マスクは弟キンバル、妹トスカとともに、母の親族を頼ってカナダに移住する。

しかし、カナダが最終目的地だったわけではない。マスクが目指していたのはアメリカである。彼にとってアメリカは、まさにアメリカン・ドリームの国に映っていた。やりたいことは何でもできる。夢が実現する。大きな可能性を秘めた国だ、と。タイミングを見てアメリカに行こうと、まずはカナダに移住したのである。

カナダでは当初、お金を稼ぐために農場や工場で肉体労働をした。なかでもボイラールームでの清掃の仕事は実入り（みい）がよかった、とマスクは述懐（じゅっかい）している。時給は一八カナダドル（約二三〇〇円）。たしかに破格の高給であった。しかし高熱の下（もと）で働かざるを得ないため、辞（や）める人が絶えない。マスクも、ほどなくその仕事を離れた。

一九九〇年、マスクはオンタリオ州のクイーンズ大学に入学する。学業の傍（かたわ）ら、コンピュータ修理のアルバイトや、自作のPCを仲間に市販品より安く売るなどして、学費と生活費を稼いだ。学生時代からビジネスの才覚があった、と言えよう。

クイーンズ大学で二年間を過ごし、ようやくマスクは憧(あこが)れの国、アメリカへ移る。奨学金を得て、ペンシルベニア大学ウォートン校に編入したのである。ちなみに、ウォートン校は一八八一年に創立したアメリカで最古のビジネス・スクールで、トランプ前大統領も卒業生の一人である。

マスクはペンシルベニア大学で、物理学と経済学、二つの学位（ダブル・ディグリー）を取得する。このころのエピソードで面白いのは、パーティであろう。マスクはペンシルベニア大学の近くに、寝室が一〇もある大きなフラットハウス（平屋）を借り、そこで夜な夜なパーティを開いた。ただし参加する学生たちからは入場料を徴収し、その収益を学費と生活費に充(あ)てたというのである。後年の〝パーティ好き〟を物語るようでもあるが、やはり抜け目のないビジネス感覚を偲(しの)ばせる。

■大学院を中退し、弟と起業

大学生時代のマスクは、幼いころの夢をますます膨らませ、具体的な将来の方針を確立していったと言えるだろう。自分の目指すべき道を三つ想定した。「三つの夢」である。

①**インターネット**（コンピュータ）
②**クリーンエネルギー**（環境問題）
③**宇宙開発**（惑星への移住）

この三つを研究して、人類の未来に貢献したい――ペンシルベニア大学を卒業したマスクは、博士号（Ph.D.）を取るために、カリフォルニア州のスタンフォード大学大学院に進んだ。ところが、「博士課程の学位など、まるで意味はない」と、わずか二日間で退学してしまう。こうした学歴への考え方は、彼独特の教育観を形成するのだが、それについてはあらためて述べよう。

スタンフォードを中退したマスクは、一九九五年に弟のキンバルとインターネット企業を立ち上げる。オンラインコンテンツソフトを制作する「Ｚｉｐ２（ジップツー）」である。時代はＩＴバブルの幕開けを迎えていた。

とはいえ、起業するには資金が不足していた。そこでマスクがどうしたのかというと、深い確執（かくしつ）があった父エロールに援助を仰（あお）いだのである。エロールは二万八〇〇〇ドル（約二八〇万円）を用立てたという。このとき父子二人の間で、どのようなやり取りがあったのかは明らかになっていない。しかし、父の資金援助でも追いつかず、出費を切り詰めなければならなかった。マスクは借りたオフィスに寝泊まりをして、シャワーを浴びるときだけ近所のＹＭＣＡに行くという生活を続けた。朝から晩まで休みなく働いたのである。

マスクは今も「週に一〇〇時間や一二〇時間、働くのは当たり前だ」と豪語する。彼はＺｉｐ２を起業した当時から、ワーカホリックのような働き方を実践していたのだ。問題を解決するためには、決して手をゆるめない。そうしなければ、問題は解決できない――マスクなりの仕事哲学である。

彼はテスラでもスペースＸでも、従業員に同じ働き方を求める。それがパワハラであるとして、従業員のほうから告発されることも多い。「仕事が終わるまで家に帰れない」「無理難題を押しつけられて、平穏な家庭生活を送れない」など、不平不満の声が上がる。しかしマスクは、まるで気にならないようだ。若き日、弟とともに寝食(しんしょく)を忘れ、目的のために二四時間、働き続けてきた。そして成功者になったという自負があるのだろう。

■「Xドットコム」から「ペイパル」へ

懸命な働きぶりが功を奏し、Zip2は一九九九年二月、PC大手のコンパックに三億ドル強（約三五〇億円以上）で売却することができた。この売却益を弟たちと分かち合い、マスク自身は二二〇〇万ドル近く（約二五億円）を手にする。そして同じ年、この資金を元手にネットバンキング（オンライン決済サービスとも呼ばれる）の「Xドットコム」(X.com) を立ち上げた。ITバブルで新手(あらて)のネットバンキングが次々と登場した時代、マスクは徐々に同業他社を買収してゆき、最終的に結びつけたのが有名な「ペイパル」(PayPal) である。ペイパルの母体となる会社「コンフィニティ」は一九九八年一二月の

“天才起業家”の出会い

ペイパル設立時のマスク(右)とピーター・ティール　(AP／アフロ)

創業だが、Xドットコムが合流するかたちで、コンフィニティのピーター・ティール(Peter Thiel)とマスクがペイパルの共同創業者となった。

なおペイパル創業期に共同経営者となったメンバーには、ティールやマスク以外にも、のちのネット業界に革命を起こすような起業家が多くいた。たとえば、ユーチューブ元CEOのチャド・ハーリー、ビジネス特化型SNS「リンクトイン」(LinkedIn)を創業したリード・ホフマン、地域ビジネス情報サイト「イェルプ」(Yelp)CEOのジェレミー・ストップルマンらである。その実績と影響力の大きさから、彼らは「ペイパル・マフィア」の異名を持つ。

ところが、彼ら共同経営者たちとマスクとの間に軋轢が生じる。ペイパルのサーバーを設置する場所に関して、意見が合わなくなったのである。

マスクは意見の一致を見ないまま、休暇を取ってオーストラリアへ旅立ってしまう。すでに最初の妻、ジャスティン・ウィルソン（Justine Wilson）と結婚しており（二〇〇〇年）、彼女を同伴しての旅行だった。なお二人はカナダのクイーンズ大学で知り合っている。

ペイパルのCEOとなっていたマスクだが、休暇で不在中に共同経営者たちはマスクのCEO解任を決める。この解任劇を振り返り、マスクは語る。

「長期休暇など取ってはダメなのだ。休みで自分がいない間に、何をしでかされるか分からない」

ペイパル自体は順調に成長した。だが、こうした社内抗争などを経て、ペイパルは二〇〇二年一〇月、eコマース大手の「イーベイ」（eBay）に一五億ドル（約一八〇〇億円）で買収される。これでマスクは一億八〇〇〇万ドル（約二二〇億円）を手にするのである。

■「三つの夢」の実現を待ち受けていた挫折

Xドットコムとペイパルの売却で自己資金を蓄えたマスクは、いよいよスペースXの設立準備に乗り出す。目標は火星に人間が住めるコロニーを建設することだ。だが、まだ手元にはロケットがない。そこで、まずは旧ソビエトで廃棄処分になったミサイルを購入し、改良することを考えた。

ところが、一機あたり六〇〇〇万ドル（約七億二〇〇〇万円）もの高額な請求書を送りつけられたので、これを拒絶。それなら自前でロケットを製造しよう、とロケット工学などの専門書を読み漁るようになったのである。同時に、NASA（米航空宇宙局）のOBら宇宙工学の専門家も雇用した。スペースXこと「スペース・エクスプロレーション・テクノロジーズ」（Space Exploration Technologies Corp.）は二〇〇二年五月にスタートする。

また二年後の二〇〇四年には、テスラ・モーターズ（二〇一七年一月、「テスラ」に社名変更）に出資して会長となり、そのまた二年後の二〇〇六年七月、太陽光発電の「ソーラーシティ」（SolarCity Corp.）を立ち上げる。こうした連続的な起業は、スペースXを設立した二〇〇二年の時点で周到に計画されていた。大学生時代に打ち立てた「三つの夢」を実現するときが来たのである。

三つの夢――すなわちインターネット、クリーンエネルギー、宇宙開発が、若きマスクにとって「自分の目指すべき道」であったと前述したが、インターネットについてはペイパルで一定の成果を上げた。残る二つ、クリーンエネルギーをテスラ（電気自動車）とソーラーシティで、宇宙開発をスペースXで実現する。マスクは本格的に動き始めた。

しかし、夢実現への道のりは決して平坦だったわけではない。スペースXは二〇〇六年に第一号ロケット「ファルコン1」（Falcon1）を打ち上げるが、空中で爆発してしまった。以後、二〇〇七年、二〇〇八年と、続けざまに発射は失敗。スペースXは窮地に追い込まれる。テスラも二〇〇八年に発売した電気自動車の第一弾「ロードスター」に、トランスミッションの不具合など欠陥が判明し、リコールに見舞われた。ロードスターは二〇〇五年から複数のプロトタイプが発表されており、市場の期待が高かっただけに、マスクにとっては大きな痛手となったのである。

■私生活でも痛手を負う

一方、プライベート面でも〝痛手〟を経験している。二〇〇〇年に結婚し、五人の子どもを儲けた最初の妻ジャスティンと二〇〇八年に離婚。二年後の二〇一〇年、イギリス人女優のタルラ・ライリー（Talulah Riley）と再婚するが、これも二年で離婚する。なおタルラとは、離婚から間もない二〇一三年、ふたたび結婚し、二〇一六年にまた離婚と、結婚・離婚を繰り返した。彼女はイギリスの田園生活に憧れ、マスクのような仕事漬けの毎日には馴染めなかったのであろう。

マスクは「タルラとは別れることになったけれど、生涯、友人として大切にしたい」と語っているが、二人の女性との離婚に際しては多額の慰謝料を負い、保有する株式や不動産を手放さざるを得なかった。

いずれにせよ、スペースXやテスラへの事業投資がかさみ、加えて私生活でも出費を強いられたマスクの自己資金は枯渇していった。一時は友人宅に寝泊まりし、生活費も借金するなど、破産寸前の状況に追い込まれたのである。

■資金提供者の出現

しかし、マスクは窮地を挽回する。彼のビジネスに可能性を見出した者たちが出資するようになったのだ。まずNASAによる資金提供があった。

失敗続きだったスペースXは、四度目の発射実験でロケットの打ち上げに初めて成功した（二〇〇八年九月二八日）。これでNASAと国際宇宙ステーション（ISS）などに関する契約を結び、一五億ドル（約一五〇〇億円）の資金提供を受ける。

実はNASAは、ロケット開発費用として、二〇〇六年の時点でスペースXに四億ドル（約四六〇億円）を投資していた。従来のNASAのロケットは、一回限りの打ち上げで使用済みとなってしまうが、スペースXのファルコン型は再利用が可能であることが実証実験で確認された。そこで対費用効果が高く、宇宙ステーションへの物資輸送に適している、とNASAは判断したのである。

テスラも二〇一〇年六月、ナスダック市場に上場を果たし、二億二六〇〇万ドル（約二〇八億円）を調達する。アメリカで自動車メーカーの上場は、一九五六年のフォード以来の快挙であった。これで投資家から資金が流入し、株価は上昇を続けた。ウォーレン・バフェットやジョージ・ソロスといった〝大物〟もテスラに投資している。彼らもマスクの将来性を認めたと言えるだろう。

二〇〇八年に破産寸前だったマスクは、四年後の二〇一二年に自己資産が二億ドル（約一六〇億円）を超え、初めて『フォーブス』（Forbes）の長者番付に載る。それから九年、二〇二一年現在の個人純資産額は約一四六七億ドル（約一六兆円）に達している。一時は一八五〇億ドル（一九兆円超）を有し、世界一の大富豪の座にあったことは、「はじめに」でも触れたとおりである。成功者となったマスク自身、「二〇〇八年が私の転機だった」と語っている。

これまでの簡単な経緯を検証すると、彼のビジネススタイルが見えてくる。それは、自分の夢を実現するためには手段を選ばずに邁進する、ということである。

「私は世界で一番、頭がいいと思っている」と言って憚らないマスクだが、自分の知らない特定分野の専門家には敬意を払い、論文を読んだり話を聞いたりする。そして、これはと思った専門家をヘッドハンティングして自分の会社に引き込み、彼らに研究実績を積ませるのだ。必要な資金は一般投資家のみならず、NASAのような政府レベルからも調達する。

やがて研究がうまく進み、もはや専門家の手を借りる必要がない、つまり自分でできると判断した段階で、マスクは彼らを容赦なく切り捨てる。これでは恨みを買うのも当然で、不満の声が内部告発となって流出するのである。

また、「週に一〇〇時間や一二〇時間働くのは当たり前」というマスクの仕事哲学は、現場主義を体現する。行く先々で問題を見つけては、マスクが自分で解決するのだ。社員には頼もしいトップの姿に映り、夢を実現しようとする彼と働くのは刺激的だろう。しかしその半面、同じスタイルを強要されて休みも取れないようでは、ついていけない。

マスクからすれば、専門性の高い優秀な人材を集め、多額の報酬を払ってしかるべき仕事を与えているのだから「休みなしで働くのは当たり前」なのだろうが、いつまでこのスタイルが続くか、私は疑問である。

■テスラの順風と逆風

テスラは株式上場の前年、二〇〇九年に二番目の車種となる「モデルS」を発表し、二〇一二年から販売を開始した。以後、同じ二〇一二年に「モデルX」、二〇一六年に「モデル3」、二〇一九年には「モデルY」と、続けざまにニューモデルを公開し、そのたびごとにメディアやユーザーの話題をさらってきた。それはテスラという企業の順調な成長ぶりを世界に見せつけることでもあった。

しかしテスラが〝話題〟を振りまいたのは、新型車の発表時だけではない。自慢のオートパイロット（自動運転）機能が作動中に起きた事故は、新技術の欠陥ではないかと世界を騒がせた。二〇一六年に一件、二〇一八年には四件の交通事故が発生している。死者が出たケースもある。

記憶に新しいのは二〇二一年四月一七日、アメリカのヒューストンで二名が死亡した「モデルS」の事故であろう。カーブを曲がり切れず、街路樹に激突して大破、炎上した。このとき運転席には誰もおらず、死亡した二人は後部座席にいたという。状況から見て、オートパイロットが作動中だった可能性は高いようである。

この事故の直後、四月一九日には、上海（シャンハイ）のモーターショー（第十九届上海国際汽車工業展覧会）で、中国人男女二人がテスラに激しい抗議活動をする一幕もあった。彼らは胸に「刹車失霊」（ブレーキ故障）とプリントしたTシャツを着てテスラの展示ブースに乗り込み、大声で「特斯拉刹車失霊」（テスラのブレーキは故障する）と叫び始めた。「特斯拉」はテスラの中国語表記である。

そして二人のうち一人の女性が展示車両の屋根（ルーフ）に上り、同じ言葉を連呼する展開となった（左ページの写真）。女性は「テスラ車のブレーキは故障します。私はモデル3で運転中にブレーキが利（き）かず、死にかけたことがあります」などと訴えたのだ。結局、女性は二分ほどで警備員に取り押さえられたが、後述するようにテスラと深い結びつきを持つ中国で、テスラに強い逆風が吹いたのは皮肉なことである。

イーロン・マスクは事故に関し、ツイッターで「あらゆる検証から、（事故車の）オートパイロットが機能していたのは確実だ。オートパイロット作動時、テスラ車の事故率は他の自動車に比べて一〇分の一だ」と反論。しかし、この事故を受けてテスラの株価は下落し、マスク自身も自己資産を大きく減らしてしまう。

「テスラ車は故障する」

2021年4月19日、上海国際モーターショーでテスラの展示車両の屋根に上り抗議する女性

（微博の投稿から）

■成功する宇宙ミッション

一方、四度目の実験（二〇〇八年九月）でロケット「ファルコン1」の発射にようやく成功したスペースXは、二〇一〇年六月、「ファルコン9」を打ち上げ、これも成功させる。続く一二月には、宇宙船「ドラゴン」（Dragon）を搭載したファルコン9が、ドラゴンを地球周回軌道に乗せることに成功。さらに二〇一二年五月、ドラゴンはISS（国際宇宙ステーション）とのドッキングを果たした。

以後、スペースXは続々とドラゴンの打ち上げミッションに成功する。私が確認しただけでも、二〇一二年一〇月から二〇二〇年三月までの一八年間で二〇回のミッションが実施され、失敗は二〇一五年六月の一回のみであった。また、ドラゴンの後継機として開発された「ドラゴン2」のミッションは、すべて成功している。日本人宇宙飛行士の星出彰彦氏が乗り込んだのもドラゴン2（別名「クルードラゴン」）であり、二〇二一年四月二四日にISSとドッキングして、滞在中の野口聡一氏と対面したニュースは大きく報じられた。

失敗の末に着陸成功。次は月面へ

㊤ 2021 年 5 月 5 日、打ち上げ実験から無事に着陸したスターシップ
㊦ 2020 年 12 月 9 日、着陸に失敗し爆発
（ともにスペース X のライブ映像から　AFP ＝時事）

繰り返し述べてきたように、イーロン・マスクには「三つの夢」があり、そのうちの一つが惑星への移住である。その実現に向けて、スペースXはロケットと宇宙船の開発を進めた。二段式の大型ロケット「スターシップ」(Starship) である。一段目が「スーパーヘビー」(Super Heavy) というロケットブースター(推進システム)で、二段目が有人飛行も可能な宇宙船「スターシップ」の構成となっている。全長一二〇メートル、総重量一五〇〇トンの巨大さは、アポロ計画で有名なNASAの「サターンV」(一一〇メートル、一四〇〇トン) を凌駕する。

スターシップはまだ開発途上にあり、二〇一九年の実験開始から失敗と成功を繰り返してきた。二〇二〇年一二月、二〇二一年二月、三月と連続して着陸に失敗し、機体が爆発している。だが、二〇二一年五月五日、上空一万メートルへ打ち上げたのち、逆噴射で着陸させることに成功。再利用可能であることを実証し、NASAが二〇二四年に予定する月面着陸計画(アルテミス計画)に採用される見込みである。

マスクは言う。

「（スターシップは再利用可能なので）宇宙への到達コストを一〇〇分の一以下に削減できる」

■光と影

マスクは二〇一五年に「オープンＡＩ」（Open AI）というＮＰＯに出資してＡＩ研究を強化し、翌二〇一六年には地下トンネルによる高速輸送を目指す「ボーリング・カンパニー」（Boring Company）と、第1章で述べたニューラリンクを起業するなど、ビジネスを拡大させてゆく。こうして彼は〝天才起業家〟の呼び声を高めていったのである。

しかし私は、それは一面の事実だが、すべてではない、と分析する。以下にその理由を述べよう。

たしかに彼のビジネスモデルは、誰も気づかなかった問題を顕在化（けんざいか）させ、その解決方法を財とサービスによって提供する、というものである。ゼロから価値を創出し、市場を拡大させてきた実績が称賛を浴びるのは、成功した歴史上の起業家たちに通じる基本的な鉄則を踏襲(とうしゅう)していると見ることもできるだろう。

ただし、たとえばテスラの電気自動車は、いくらマスクが「一〇分の一」と強弁しても、生産台数から考えて事故の発生率は高いと言わざるを得ず、補償問題で常に訴訟を抱えている。

また、排ガスを出さない電気自動車だから地球環境に優しいと謳(うた)うけれども、そのバッテリー「リチウムイオン電池」を製造するには、レアメタルのリチウムが欠かせない。リチウムは希少資源であることに加え、採掘に大量の水と化石燃料が必要であり、廃棄物も出る。要するに環境への負荷(ふか)が、きわめて大きいのである。しかもリチウムだけでは、リチウムイオン電池を製造することはできない。電極の材料はニッケル酸リチウムという特殊な化合物なのだ。したがって、ニッケルも併(あわ)せて大量に必要となる。

リチウムの国別埋蔵量を見ると、上位からチリ、中国、オーストラリア、アルゼンチンとなっている。ニッケルのほうはオーストラリア、ロシア、キューバ、インドネシア、ニューカレドニアなどである。埋蔵量イコール産出量ではないが、これらの国で環境破壊を厭わない採掘が行なわれることで、電気自動車は成り立っているのだ。しかも、現場で作業する労働者たちの置かれた状況は劣悪で、人権無視も甚だしいとの声も絶えない。

そのうえ、真偽のほどは不明だが、「TSLAQ」を名乗る匿名集団が、ツイッター上でテスラやマスクを糾弾し続けている。いわく、「モデルSには欠陥がある」「マスクが公表した予定生産台数が達成されていない」「従業員を不当解雇した」……。ちなみに「TSLAQ」の「TSLA」は、アメリカの証券取引所で使われる銘柄の識別記号（略称）で、テスラのことだ。そして「Q」は「倒産手続き中」を意味する。

電気自動車は、CO_2を排出しないから地球に優しいという〝光〟の部分ばかりが喧伝される。だが、光は〝影〟を生み出すのである。

マインドコントロールの天才

ところがイーロン・マスク自身は、こうした非難を歯牙にもかけない。それどころか、「すべてフェイクだ」と切って捨てる。内部告発者をはじめとする〝アンチ・マスク〟の攻撃に対し、「彼らは私を妬んでいる。私を陥れるために、一部の連中がメディアと組んで悪評を拡散させているだけだ」と言う。いかに「金儲け主義」「大口叩き」と謗られようが、まったく気にしないのである。

しかも、非難の声を逆手に取ることも忘れない。

自分は〝アンチ・マスク〟などにめげない——戦う姿勢を見せることで、熱烈な〝マスク・ファン〟の心を掴み、自己正当性をアピールすることに成功している。マスクならではの人心掌握術であろう。

マスクはツイッターについて、こう述べている。

「みんなをハッピーにするなんて、できない。特にツイッターではね。世間を騒がすようなことを言わなければ、みんな退屈してしまう。それに、誰もツイッターなど読まないよな。私が言うことのなかには、とんでもないことや撤回すべきものもあるかもしれない。しかし『善は悪を上回る』と言うだろう。最後には正しい者が勝つ。メディアを通さないことで初めて正しい情報も伝わる。だから私は直接、ツイッターで語ることにしているのだ」

ある意味では、彼はマインドコントロールの天才と言っても過言ではない。ＳＮＳを通じて、「既存のメディアはフェイクニュースを平気で流すし、特定業界の利益に左右されてしまっている」と断じるマスクのメッセージが、今の世界に不満を持つ多くの人たちの共感を呼んでいるのは事実だ。これもマスク流の作戦である。

二〇二一年五月現在、マスクのツイッターのフォロワー数は五六〇〇万を超える。これは三月時点の統計で比較すると、世界で一七位に当たる。ちなみに一位はバラク・オバマ米元大統領（一億二九〇〇万）、二位はジャスティン・ビーバー（一億一四〇〇万）である。ＳＮＳでの発信がきっかけで大きな世論を形成することもある現代、マスクのツイートが彼自身のビジネスにとって強力な武器になっていることは疑いようがない。

たとえばプライベートであるはずの誕生日でさえ、マスクの手にかかれば自己アピールとなってしまうことがある。これまで彼は、イギリスの古城やオリエント急行を借り切って誕生パーティを開催してきた。ニューヨークでマイケル・ジャクソン顔負けの派手なパーティを開いたこともある。しかし、四八歳になる二〇一九年六月二八日の誕生日は、様子が違った。マスクは短いツイートを残している。

「(この日は) テスラの物流拠点で仕事だ」(“Working on Tesla global logistics.”)

前年に発生した四件の事故や、モデル3の生産の遅れなどから、テスラは二〇一九年第一四半期(一月〜三月)、七億ドル以上(約七七〇億円)の赤字決算となった。しかし、そんな苦境を背景に、自分は誕生日も問題解決のために現場で寝泊まりして働くのだ、と投稿する。これほどローコストで効果的な企業広報はないであろう。

主役は自分だ

イーロン・マスクという人物は、自分がどう見られているかを常に意識している。動画配信の「ネットフリックス」(Netflix) や衛星放送「HBO」(Home Box Office) などを愛好し、映像の世界から想像力を膨らませる傾向がある。二〇一〇年にはヒーロー映画『アイアンマン2』に自ら出演しているほどだ。

またゲーム好きでも知られ、九〇年代の初めにはカリフォルニア州にある「ロケット・

サイエンス」（Rocket Science）というビデオゲーム会社でアルバイトをしたこともある。日本で言うなら〝アキバ系オタク〟に近いかもしれないが、マスクの場合は映像を鑑賞したりゲームをプレイしたりするだけでは飽き足らず、自分がその世界に入り込み、主役を演じることまで思い描いているように見える。少年のころからのヒーロー願望が根強くあるのだ。

第1章で紹介したニューラリンクのデモンストレーション（26ページ）でも、マスクの「自分が主役だ」というヒーロー願望が如実（にょじつ）に現われていた。

事前に記者発表用の原稿を用意し、リハーサルをしてから臨（のぞ）むのが本来の企業広報である。ビル・ゲイツもジェフ・ベゾスもそうしている。しかしマスクは、「予行演習など時間の無駄だ。私は即興でやる。それが自分の流儀なのだ」と、まるで準備をしなかったのである。記者から想定外の質問があっても気にしない。周囲のスタッフが配慮して想定問答を助言するのだが、マスクは聞く耳を持たない。三頭の子豚を前に、マイペースで滔々（とうとう）とプレゼンを続けたのである。

裁判沙汰に発展することも

このようなマスクの、独善(どくぜん)とも言える行動は、プラスに作用することもあれば、逆のマイナスに働くケースもある。

二〇一八年六月、タイ北部の洞窟(どうくつ)で、地元のサッカー少年とコーチの計一三人が閉じ込められ、世界的なニュースとなった。このときマスクは、少年たちを救出するためにスペースXとボーリング・カンパニーの技術者を現地に派遣し、自身もスペースXの技術で製作した小型潜水艇を携(たずさ)えて赴(おもむ)いたのだが、その潜水艇は使いものにならなかった。

しかも、救助活動をしていたイギリス人のダイバーが「(マスクの現場入りは) 売名行為だ」とツイートすると、マスクは激しく反論。

「彼(ダイバー)は小児性愛者だ」とツイッターで罵(ののし)ったのである。このためマスクは、ダイバーから名誉棄損で提訴され、一億九〇〇〇万ドル(約二〇五億円)の損害賠償を求められた。裁判では結局、ダイバーは損害を被(こうむ)っていないとの判断でマスク側の勝訴に終わったものの、前後の見境(みさかい)なく直情的にツイートしてしまうマスクは、たびたび物議を醸(かも)すことになる。

たとえば二〇一八年八月、マスクはテスラの株式を一株四二〇ドル（約四万六〇〇〇円）で買い取り、非公開化するとして、「そのための資金は確保した」とツイート。これをSEC（米証券取引委員会／Security(セキュリティ) and(アンド) Exchange(エクスチェンジ) Commission(コミッション)）が「投資家を欺(あざむ)く株価操作だ」と問題視し、提訴したのである。

この訴訟は翌二〇一九年四月に、マスク側が罰金二〇〇〇万ドル（約二二億円）の支払いと、ツイートの内容を制限することを条件に和解で合意するのだが、後日談がある。二〇二一年三月、今度はテスラの株主が「SECと合意したはずなのに、マスク氏はその合意条件を無視してツイートした。おかげで株主は損をした」と、マスクとテスラの取締役会を提訴したのだ。すなわち、マスクはSECとの和解合意で、テスラの経営に関わる内容のツイートは弁護士による事前承認が必要とされたにもかかわらず、それに従わなかった、というのである。

たしかにマスクは、二〇一九年の和解以降も、テスラの株価について言及するなど株式市場に影響を与えかねないツイートを繰り返している。企業経営者である以上、マスクの奔放な発言は不用意と言わざるを得ない。

■ビットコインをめぐる波紋

直近では、仮想通貨「ビットコイン」(Bitcoin) をめぐるツイートが世界的な混乱を招いた。

二〇二一年二月八日、テスラはビットコインに一五億ドル（約一六〇〇億円）を投資し、「近い将来、当社製品の購入に際してビットコインの利用を受け入れる」と公表した。つまり、テスラ車がビットコインで買えるというわけである。その直前にマスク自身がツイッターのプロフィールに「#bitcoin」というハッシュタグを追加し、「私はビットコインと恋に落ちてしまったかもしれない」とツイートしたことも手伝って、ビットコインの価格は急上昇。直前（二月一日）の三万三〇〇〇ドル（約三五〇万円）から、すぐに四万七〇〇〇ドル（約五〇〇万円）を突破した。マスクは音声SNSのクラブハウスでも「八年前にビットコインを買っておくべきだった。私はビットコインを支持する」と発言している。

私は、このテスラによる巨額なビットコイン投資とマスクの発言を知ったとき、大きな疑問を持った。

ハッシュタグの意図は？

Elon Musk
@elonmusk
#bitcoin
Joined June 2009
102 Following 43.8M Followers

プロフィール欄に「#bitcoin」が追加されたマスクのツイッター

ビットコインは二〇二一年四月一三日に、六万三五一八ドル（約六九〇万円）の最高値を記録した。単純計算すると、テスラはこの時点で一三・八億ドル（約一五〇〇億円）の値上がり益を得たことになる。もちろん、ビットコインのような仮想通貨は他の金融商品同様、市場での売買が成立しなければ利益が確定しないので、あくまでも含み益である。だが、この一三・八億ドルという数字は、テスラが二〇二〇年に五〇万台の電気自動車を販売して得た営業利益、五億七五〇〇万ドル（約六二〇億円）をはるかに上回るのである。事実、テスラはビットコインの値上がり直後、一五億ドル分のうち一〇％を売却し、一億一〇〇万ドル（約一一一億円）の利益を得ている。

自動車メーカーのテスラが、投資という本業以外で収益を上げるのは本末転倒ではないか、と私は思ったものである。しかも、マスク自身が、ビットコイン市場には法の網が及んでいないことに目を付け、一攫千金（いっかくせんきん）を狙った節（ふし）もある。というのも、マスクはスペースXを通じて月や火星へと人類の宇宙への夢を売り込んでいるが、こうした地球外のコロニーでは「ビットコインが共通通貨として最適である」とのキャンペーンを繰り広げているからだ。

■マイニングが環境を破壊する

さらにビットコイン投資の「本末転倒」ぶりを述べるなら、リチウムイオン電池の製造と同じく、環境破壊について触れなければならない。

よく知られるように、ビットコインの取引には「マイニング」（mining）という仕組みが用いられる。簡単に言えば、マイニングとはビットコインの取引情報を第三者が管理して承認することなのだが、その承認者にはビットコインで報酬が支払われるため、世界中で参加する者が引きも切らない。

問題は、マイニングにはコンピュータを使った複雑な計算が必要で、膨大な電力を消費することだ。つまり地球環境を大きく損（そこ）なうのである。マスクが言う「地球に優しい電気自動車」を製造するテスラは、ビットコイン投資によって環境に負荷をかけることになる。これを「本末転倒」と言わずして何と言おう。

ところが、私のこうした懸念をイーロン・マスクも共有していたのか、彼は突如として「ビットコインでのテスラ車の販売を停止する」と発信した。二〇二一年五月一二日のツイートである。

「テスラはビットコインを使った自動車の売買を一時、停止した。ビットコインのマイニングでは化石燃料、特に石炭の使用量が（電力消費のために）急速に増加している。石炭は最悪の大気汚染源だ。暗号資産（仮想通貨のこと）自体はグッド・アイデアで、将来性もあると思うが、環境に大きな負荷をかけることは許されない」

——このツイートでビットコインの価格は急落する。テスラがビットコインを大量に売却するのではないか、との観測が流れたためである。テスラの株価も下落した。二〇一八年にテスラの株式非公開化をツイートして、市場と世界に混乱を来したのと同じ構図が繰り返されたのである。

アメリカの投資銀行、ＪＰモルガンは「ビットコインの値下がりは今後も続く」との予測を明らかにしている。変わり身の早さはマスクの身上だろうが、電気自動車に乗せられるのならまだしも、価値下落にブレーキの利かない仮想通貨ゲームに乗せられるのは、たまったものではない。

〝自作自演ツイート〟の疑惑

こうして俯瞰すると、マスクはただ感情の赴くままに発言しているように思えてくる。ある意味では幼児性も垣間見える。しかし、もしそこに彼の意図的な戦略があったとしたら、どうだろう。実際、その〝戦略〟を窺わせるやり取りがあったので紹介しよう。ビル・ゲイツに対する発言である。

二〇二〇年二月五日、ゲイツの「ビル&メリンダ・ゲイツ財団」（Bill & Melinda Gates Foundation）は、新型コロナウイルス対策に一億ドル（約一〇九億円）を寄付すると発表した。なお、この財団はゲイツと妻のメリンダが共同で創設した世界最大級の慈善団体で、一三〇〇億ドル（約一四兆円）の資産を保有する。二〇二一年五月に夫妻が離婚を発表したことで今後が注目されたが、二人とも財団の活動は続けるとして、今も「ビル&メリンダ」の名を冠して存続している。

さて、ビル・ゲイツが一億ドルの寄付を公表すると、メディアの関心はマスクに向けられた。「ゲイツ氏が巨額の寄付をするのに、同じビリオネア（億万長者）のあなたは何もしないのか」と、批判的な指摘がなされたのである。マスクはすかさず反論した。

「私だって、新型コロナウイルス用のマスクや人工呼吸器を寄付した。また、ワクチンを製造するドイツの『キュアバック』（CureVac）という会社に投資もしているのだ。この会社にはゲイツも投資している」

とにかくマスクとゲイツは、私生活面も含めて、よく比較される。ゲイツがメリンダ夫人との離婚を発表すれば、マスクの結婚の行方が取り沙汰されるといった具合である。ちなみにマスクは、二番目の妻であるタルラ・ライリーと二〇一六年に離婚後、カナダ人の歌手、グライムス（Grimes）と交際し、二〇二〇年には男の子が誕生している。マスクとグライムスについては、第5章でも述べたい。

新型コロナウイルス対策のみならず、かねてビル・ゲイツと比較されてきたマスクは、二〇二〇年七月二九日のツイートで不可解なメッセージを発した。それが先述した〝意図的な戦略〟である。その内容は――。

「私とビル・ゲイツが愛人関係にあるという噂が流されているみたいだけれども、そんなのはまったくの嘘だ」（"The rumor that Bill Gates & I are lovers is completely untrue."）

ところが実際には、そのような噂など流れていなかった。マスクは、ありもしない噂を創作したのだ。いわば自作自演のツイートである。

私はその背景に、ゲイツが一億ドルの寄付をした一方で、マスクは何もしていないので

私生活でも比較されるマスクとゲイツ

㊤マスクとグライムス。メトロポリタン美術館主催のファッションイベント「METガラ」にて　(AFP＝時事)
㊦2021年5月3日、離婚を発表したビル・ゲイツとメリンダ夫妻　(EPA＝時事)

はないかとする批判をかわす狙いがあったと考える。〝愛人関係〟というスキャンダラスなフレーズを用い、社会の関心をそちらの方向へ逸(そ)らす作戦である。このツイートにはマスクの戦略が隠されている。

■ なぜ「間抜け」呼ばわりするのか

イーロン・マスクとビル・ゲイツ。この二人はまるでタイプが異なる。まず、ゲイツは電気自動車を嫌い、ポルシェに乗っている。「テスラの電気自動車には乗らない」と公言するほどである。ここに一つの対立軸がある。

対するマスクは、先の〝愛人関係〟発言以後、ゲイツ攻撃の手を緩(ゆる)めない。「ビル・ゲイツは地球環境問題について、いろいろと言及するが、身近な電気自動車には理解も関心もない。これでは間抜け同然だ」と歯に衣(きぬ)を着せない。「間抜け」は英語で「ナックルヘッド」(knucklehead)と言うが、マスクはゲイツを評して、よくこの「ナックルヘッド」を使う。敵対することに躊躇(ちゅうちょ)がないのである。

しかし私は、これはマスク独特の方法論で、ゲイツの才覚や業績を理解したうえでの表現であると見る。社会にはゲイツに対する批判的な声も多くある。マスクはそれを踏まえ、批判勢力の代弁者となり、敵対的な発言をしているのだろう。そして結果的に、自分はゲイツのような既存のビリオネアとは違うのだ、ということを訴えているのである。

「テクノキング」の言い分

テスラにおいて、マスクの現在の肩書は、CEO（最高経営責任者）兼「テクノキング」（Technoking of Tesla）である。このテクノキングという新たな肩書は、二〇二一年三月一五日に加わったものだが、それが何を意味するのかは明らかにされていない。また、現場主義のマスクはテスラ社内に自分の席を持たず、報酬を一ドルも受け取っていない（厳密には、本社所在地のカリフォルニア州の規定で、最低報酬の年額約三万五〇〇〇ドル＝約三八〇万円を受け取った形になっているが、マスクはそれを会社に返還している）。

なぜ〝無給〟で四六時中、働くのか。マスクの言い分はこうだ。

「世界のすべての人たちが電気自動車を使うようになり、地球環境が改善すれば報酬を受け取る。しかし、今はまだその途上にある。だから私は、給料も賞与も株の配当も一切、受け取らないのだ」

そしてこの発言が、またマスク・ファンを増やしてゆく。計算されたストーリーによる世論操作と言えるだろう。

世界最大の投資持株会社、バークシャー・ハサウェイのウォーレン・バフェット会長とチャールズ・マンガー副会長は、口をそろえてマスクをこう評する。

「イーロン・マスクは大言壮語で、自己を過大評価しているとの批判もあるようだ。しかし、彼の言っていることや、やっていることがいつも間違っているわけではない。世間の常識にとらわれないところから、思いもかけない大事業が生まれることもある。彼のような人間を雇うつもりはないが、過小評価してはならない」

だがSNSを駆使して着々とヒーロー伝説を紡ぐマスクの発言を、そのまま額面どおりに解釈するべきではない。発言の背景を推察し、行間を読まなければ、彼の意図するところを見抜くことはできない、と私は考える。

さらに言うなら、マスク個人の言動だけに目を奪われていては、彼の本質を見誤る。マスクはアメリカ国内だけでなく、グローバルに事業を展開する企業群のリーダーである。それだけに、アメリカおよび各国政府機関や要人とのネットワークづくりにも余念がない。彼の政治的な動きをチェックする必要がある。

■中国との蜜月

外国とのつながりという点で、マスクが早くから注目していたのは中国である。上海国際モーターショーでの抗議活動を前述したが（86ページ）、見方を変えれば、それほどテスラ車が中国に浸透していたということである。

テスラは二〇一八年五月一〇日、中国で初となる一〇〇％単独出資の外資法人「テスラ上海」を設立した。これは中国政府が五〇％としていた外資規制を撤廃した措置によるものだが、トランプ前大統領の働きかけが大きかった。トランプは米中貿易摩擦のなかで、中国による自動車輸入関税の引き下げと同時に、自動車メーカーの外資規制を緩和させることに奏功したのである。もちろん、水面下ではマスクがトランプに掛け合っていたことは言うまでもない。

二〇一九年一月には、テスラは上海臨港新区で大規模生産工場「ギガファクトリー3」(Shanghai Gigafactory)の建設に着工、一一カ月後の同年一二月に早くも操業を開始して、モデル3を出荷している。

環境対策が懸案の中国政府はテスラの電気自動車を歓迎し、ギガファクトリー3の起工式に訪れたマスクを北京(ペキン)の中南海(ちゅうなんかい)(政府の中枢地区)に招いた。李克強(りこくきょう)首相と対面したマスクが「私はとても中国を愛しています。もっと訪れたい」と言うと、李首相は「でしたら、マスクさんに中国の永住権を差し上げましょう」と返したのである。

中国国内に出現したテスラのライバル

二〇二〇年のデータを見ると、テスラの世界販売台数は約五〇万台で、そのうち二〇%に当たる約一〇万台を中国が占める。すなわちテスラにとって、中国は世界最大のマーケ

中国で稼働する大規模生産工場

ドローンで空撮した上海の「ギガファクトリー3」。拡張工事が予定される　（CFOTO/共同通信イメージズ）

ットなのだ。またギガファクトリー3の稼働は、中国人の雇用と中国への技術移転を意味する。つまりマスクと中国は、ウィンウィンの関係なのである。

　中国とのパイプを深めるマスクは、清華大学経済管理学院顧問委員会の委員にも任命された。言うまでもなく、清華大学は中国を代表する最高学府だが、目下、MBA（経営学修士）の養成に熱心だ。そこで二〇〇〇年に組織されたのが、経済管理学院顧問委員会である。経営学に資するために、世界各国から研究者や起業家を招聘し、助言を仰ぐというものであり、アップルのティム・クックやマッキンゼーのドミニク・バートン、ゴールドマンサックスのロイド・ブランクフェインらCEOクラスが委員に名を連ねていた。日本からはソニーの出井伸之氏、ソフトバンクの孫正義氏などが任命されている。こうした顔ぶれの一人に、マスクは加わったわけである。

とはいえ、いかにマスクが中国政府と蜜月関係を築こうとも、現実は予断を許さない。こと電気自動車に関しては、先に触れたモーターショーでの抗議活動も手伝って、販売台数の減少傾向が見られる。そしてライバル企業が出現しているのだ。

私も視察したが、上海など大都市のショッピングモールには、電気自動車メーカーのショールームが数多くできている。そこでは中国市場で先行するテスラは当然として、中国国内のメーカーも目立つようになってきた。「蔚来汽車」(NIO)、「小鵬汽車」(Xpeng Motors)、「理想汽車」(Li Auto)などである。

中国の一般消費者にとって、テスラの価格設定はまだ高い。たとえばモデル3は一台が三〇万九〇〇〇元(約五三〇万円)である。ところが、対する国産車はその半額以下なのだ。なかには二万八八〇〇元(約五〇万円)という激安の小型車まである。こうした国内メーカーが雨後の筍のように登場し、中国の電気自動車は過当競争の時代に入ってきた。それが現実である。

二〇二一年四月、テスラの中国での販売台数は前月（三月）と比べ、二七％ダウンの二万五八四五台となった。顧客から寄せられた安全性に関する疑念が膨らんできたため、中国政府も調査に乗り出したことが影響したようである。

しかも中国政府は「テスラ車が搭載するカメラは、政府機関や軍関連施設のデータを収集するスパイ行為に悪用されている可能性がある」とし、「それら施設への乗り入れを禁止する」との通達を出した。危機感を覚えたマスクは「万が一、そのような行為に使われていた事実があれば、中国での製造をただちに中止する。スパイ行為などあり得ない」と釈明に追われた。中国市場におけるテスラの先行きは、決して順風満帆とは言えそうにない。

■インドからの誘い

中国市場が競争の時代に入るとすれば、当然マスクも次のステージを考えなければならない。そのステージとして浮上したのが、中国と対立を続けるインドである。

コロナ禍でＧＤＰが四〇年ぶりに落ち込んだとはいえ、インドは将来的に人口も経済規模も中国を抜き、大国に成長する。それに伴うエネルギー問題や環境対策を想定し、インドのモディ首相は電気自動車に力を入れているのである。そのためモディ首相は、テスラにインドでの生産を働きかけてきた。すなわち、上海のギガファクトリー3のような工場をインドに誘致しようというわけである。しかも土地や労働力は中国よりも好条件を提示した。

これは「次のステージ」を狙うマスクにとっても悪い話ではない。案の定、両者の利害は一致し、二〇二一年一月にはテスラのインド現地法人「テスラ・モーターズ・インディア・アンド・エナジー・プライベート・リミテッド」(Tesla Motors India and Energy Private Ltd.) が登記された。さらに工場建設の候補地として、インド南部のカルナタカ州という具体的な名まで挙がっている。マスクは新たな市場を開拓しつつある。

ただしマスクとテスラにとって、解決すべき課題はマーケットでの販売面だけではない。

それは何か――資源の確保である。

本章で述べたように、電気自動車のリチウムイオン電池を製造するには、素材となるリチウムとニッケルが欠かせない（92ページ）。テスラはニッケルの安定供給を図るために、ニューカレドニア政府と契約を結んでいるのだが、ここに中国の後発メーカーもニッケルを求めて乗り込んできた。テスラと中国企業との間で、バッテリー用の素材をめぐる争奪戦が勃発（ぼっぱつ）し始めている。マスクとしては、これを座視するわけにはいかない。ニューカレドニア以外にも、ニッケルの調達先が必要である。

ここでマスクの脳裏には、ある男の顔が浮かんだに違いない。ロシア大統領、ウラジミール・プーチンである。

ロシアはニッケルの埋蔵量が世界一位の資源大国である。第1章で触れたが、マスクが音声ＳＮＳのクラブハウスでプーチンに秋波を送るなど接近を図ったのは、ニッケルを確保する思惑もあったのではないか。

■資金の〝正体〟は税金

ところで中国は、テスラだけではなくスペースＸにも関心を寄せている。二〇二一年五月一五日に火星探査機の着陸を成功させた中国だが、月面の資源獲得も含め、宇宙開発に国を挙げて取り組んでいることは周知のとおりである。再利用が可能なスペースＸのロケットは、中国にはまだない技術であるだけに、きわめて魅力的なのだ。宇宙開発の面からも、中国はマスクに触手を伸ばしている。

しかしスペースＸは、アメリカ政府にとって今や〝お宝〟のような存在である。スペースＸが成長できたのも、ＮＡＳＡによる一五億ドルの資金提供がきっかけであった。それだけに、みすみす敵対する中国に協力させるわけにはいかない。

この議論は措くとして、そもそもイーロン・マスクはＮＡＳＡのような公の資金を調達する術（すべ）に長（た）けている。彼を批判する〝アンチ・マスク〟に言わせれば、「マスクはエンジニアでもあるから、技術のことが分からない役人を誑（たら）し込んで、連邦政府や州政府の資金を引っ張ってくる。つまり、マスクの事業に付けられた予算は国民の税金なのだ」ということである。

マスクは共和党、民主党を問わず、自らのビジネスに役立ちそうな政治家に潤沢な政治献金を提供することで知られてきた。

先の米大統領選挙でも、トランプ、バイデンの両者ともに資金提供を重ねていた。具体的な支持候補者名こそ明言しなかったが、圧倒的な資金力をバックに、どちらが勝ってもよいように両天秤（りょうてんびん）をかけていたのである。特にバイデン陣営への食い込みは用意周到で、テスラの役員を資金調達の責任者として選対本部に送り込むという抜け目のなさであった。

そしてバイデン大統領が誕生するや、真っ先に新政権の環境エネルギー政策から利益を得ようと画策を練（ね）っている。環境対策技術はマスクの十八番（おはこ）である。バイデン大統領は、二期八年間で二兆ドル（約二二〇兆円）を投入し、環境問題に取り組むと宣言。その半分の1兆ドル（約一一〇兆円）は、電気自動車を普及させるための充電ステーション建設や、クリーンエネルギー産業への支援に充てるという。

まずは政府機関の公用車から始まり、消防車や郵便配達車なども順次、電気自動車に入れ替えるというのがバイデン政権の方針だ。一兆ドルの国家予算から、どれだけの資金がマスクの関連企業に流れることになるのか、大いに見ものである。

またニューヨーク州政府は、ソーラーシティの新しいプロジェクトに七・五億ドル（約八二〇億円）を拠出する。そのうえ工場用の土地も提供し、使用料は年間一ドル。おまけに一〇年間は課税を免除するという破格の待遇である。これに他の州も追随して、たとえばネバダ州やテキサス州は「スペースXの打ち上げ・研究施設を、わが州に持ってきてほしい。五〇〇万ドル（約五億五〇〇〇万円）単位で資金を提供する。課税も一五年間は免除しますよ」と州知事や州選出の議員がマスクの元を訪れる始末である。

たしかにマスクは、批判勢力が指摘するとおり、アメリカの税金を上手に自分のビジネスへ引き寄せているようだ。環境とエネルギー対策という、誰も反対できない大義名分を掲げることによって、結果的に会社の利益へと結びつけている。

スペースXとアメリカ宇宙軍

前述したスペースXとアメリカ政府の関係について、表沙汰にされていないことがある。本章の最後に、それを明かそう。

電気自動車や太陽光発電の陰に隠れているが、実はイーロン・マスクの最大の儲け口は、軍事関係なのである。

国防総省傘下のＤＡＲＰＡ（国防高等研究開発局）に「先端技術研究室」（The Advanced Technology Office）というプログラムオフィスがある。スペースXはこのオフィスと共同で、新しい通信衛星を研究中だ。

すでにスペースXは、二〇二一年四月までの三年間に、ファルコン９ロケットで累計一四四五基の通信衛星を打ち上げているが、衛星によるインターネット接続を目的とするものであった。名づけて「スターリンク計画」（Starlink）という。しかし現在ＤＡＲＰＡと研究中の衛星は、地上の人間や自動車、果てはドローンの動きを監視することが狙いなのである。この研究は厚いベールに包まれている。

アメリカはトランプ大統領時代の二〇一九年一二月二〇日に、「合衆国宇宙軍」(U.S. Space Force) を創設した。衛星の防衛が主任務とされているが、中国やロシアを意識した宇宙における覇権競争の側面を持つことは疑いようがない。その延長線上に、スペースXとDARPAの共同研究も位置づけられるだろう。

アメリカの軍事予算(国防関係費)は、二〇二一年度の予算教書で七五三〇億ドル(約八二兆円)となっており、国家予算四・八兆ドル(約五三〇兆円)のおよそ一五%を占める。この潤沢な資金がマスクに引き寄せられてゆくのである。

これまで軍事予算は、ロッキード・マーティンやレイセオンといった軍需産業に振り向けられていた。それらは武器や戦闘機、軍艦など、いわばハードを製造する企業である。しかし今後、予算の割り当てはソフトすなわちAIの軍事利用にシフトする。イーロン・マスクのスペースXが、その受け皿にならないという保証はない。

第3章

知られざる日本コネクション

マスクが使う二つの日本語

イーロン・マスクと日本との関係と聞いて、すぐに想起するのは前澤友作(まえざわゆうさく)氏の月旅行ではないだろうか。「ZOZOTOWN(ゾゾタウン)」の成功で名を成し、今や『フォーブス』が選ぶ日本人長者番付で三〇位にランクされるビリオネアの前澤氏は、二〇一八年九月に、月旅行の乗客第一号としてスペースXと契約を交(か)わした。記者発表でマスクが前澤氏を肩車した様子をご記憶の向きも多いだろう。若き起業家同士、通じ合うところがあるのだろう。月旅行は二〇二三年の予定である。

実は、マスクと日本の接点は、彼の幼いころにまで遡(さかのぼ)る。いじめに遭っていた南アフリカの小学校時代である。

早生まれで小柄だったマスク少年は、周囲の子どもたちから攻撃のターゲットにされていた。あるときなど、階段から突き落とされて救急搬送され、父のエロールが病院に駆けつけるのだが、マスクの顔がひどく腫(は)れあがり、自分の子どもなのか判別できなかったというエピソードまで残っている。

　そんなマスク少年が自分を守り、いじめっ子たちに立ち向かおうと目覚めたのが日本の格闘技だったのである。彼は空手と柔道の道場に通った。
　この「道場」という言葉が、マスク少年に深く刻み込まれてゆく。長じてビジネスの道を歩むようになると、たとえば新しいプロジェクトを展開する際に「これは道場なのだ」などと言ったりする。ツイッターでは、そのまま「Dojo」と表記する。一例を挙げてみよう。
　"Dojo, our training supercomputer, will be able to process vast amounts of video training data…"
（試験準備中のスーパーコンピュータは道場だ。膨大な量のビデオデータを処理することができる／以下略）
　また、事業がうまく進まなかったりすると、日本語の「切腹（せっぷく）」を持ち出すことがある。「私はもう切腹する」と言うのである。これも例を挙げよう。
　"My mentality is that of a samurai. I would rather commit seppuku than fail."
（私は侍（さむらい）のような気持ちだ。失敗するより切腹したい）

もっとも、英語圏の人間には「seppuku」と言っても通じない。そのため、マスク自身が説明することもある。「日本の侍は責任を取るときに自分で腹を切る。それが『セップク』だ。私はセップクを覚悟で働いている」といった具合である。つまり彼は、こう言いたいのだ。

——私はテスラでもスペースXでも、失敗したら切腹する覚悟がある。それほど全身全霊で仕事に取り組んでいるのだ。

「道場」と「切腹」。二つの日本語は、マスクのキーワードになっている。

日本のアニメが与えた影響

図書館に籠(こ)もり、SF小説を読んでいた少年時代のマスクは、アニメも愛好した。日本のアニメに出合うのは自然な流れである。

好きな日本のアニメ作品を問われてマスクが挙げるのは、『もののけ姫』(宮崎駿(みやざきはやお)監督)や『新世紀エヴァンゲリオン』(庵野秀明(あんのひであき)監督)などだが、ことに『君の名は。』(新海誠(しんかいまこと)

監督）がお気に入りのようである。ツイッターでも“Love Your Name”（『君の名は。』、いいね）と書き込んだうえで、予告編動画のリンクまで埋め込んでいた。

なお、この作品では登場人物が「ユキちゃん先生」など、「ちゃん」づけで呼ばれることが多い。おそらくマスクは感化されたのだろう、自分のことを、しばしば「イーロンち

身に着けているのは……？

アニメ『賭けグルイ』のシャツを着て現われたマスク。記念撮影に応じる

（2019年1月。YouTubeの投稿動画から）

ゃん」（Elon-chan）と表現する。メジャーリーガーの大谷翔平選手が実況アナウンサーから「オータニサン」（Ohtani-san）と呼ばれるように、英語圏の人間が日本人の敬称に「ミスター」（Mr.）ではなく「さん」（san）を使うようになった今、マスクの「イーロンちゃん」は日本人に親近感をもたらすかもしれない。

　また、漫画が原作でテレビドラマやアニメ、ゲームにもなった『賭ケグルイ』（河本ほむら原作、尚村透作画）も、マスクお気に入り作品の一つである。マスクは『賭けグルイ』がデザインされたTシャツを着て、インタビューに応じたりしているのだ（127ページの写真）。

　さらに言うなら、これはアメリカ映画だが、一九九〇年代に連載された日本の漫画が原作の『アリータ：バトル・エンジェル』（Alita:Battle Angel／ロバート・ロドリゲス監督）は、マスクに強い影響を与えたと思われる。何しろこの作品のモチーフは、地球と火星の宇宙戦争、そしてサイボーグなのである。スペースXのロケットで火星を目指し、ニューラリンクのBMI（脳インターフェース）で人間のサイボーグ化を試みるマスクと、この映画の世界観が、私には二重写しになる。

“死亡説”に対しての反応は

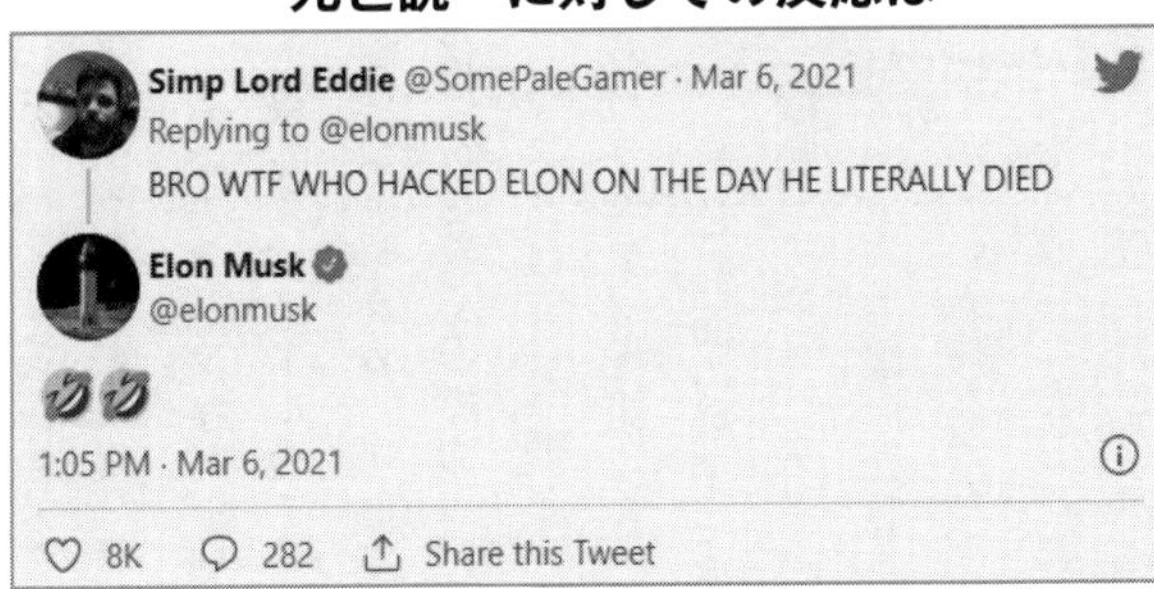

「何てこった。イーロンがガチで死んだと言うやつがいる」とのツイートに、マスクは笑い転げる絵文字（顔文字）で返した

■絵文字とお笑いと

マスクの意識の深い部分に、日本のサブカルチャーが浸み込んでいるのは事実である。日本製のアニメやゲームを楽しむ様子を日常的にツイートしたりするが、興味深いのは彼が「絵文字」をよく使うことだ。

たとえば、二〇一八年にテスラの株式非公開化を示唆したことでSECに提訴されたときなど、ツイッターに困り顔をした「くまのプーさん」の絵文字をアップした。あるいは二〇二一年三月にマスクの〝死亡説〟が流れたときは、大笑いする絵文字で反応した（上の画像）。自分の思いを絵文字で代弁させるのである。

投資家たちからは「絵文字を使うなんて、ふざけている。慎(つつし)むように」と言われるのだが、マスクに止(や)める気配はない。むしろ逆に、絵文字をツイートする彼のセンスが、フォロワーたちに支持されているようである。

もともと絵文字は、日本が発祥(はっしょう)である。NTTドコモが携帯電話のｉモードに搭載した機能で、メールのテキスト用に使われた。それが瞬(また)く間に世界中に広がり、バリエーションも増えた。英語でも「emoji」で通じる。マスクの絵文字も、本(もと)を正せば日本の文化に行き着くのである。

マスクは二〇一四年に来日しているが、安倍晋三(あべしんぞう)首相（当時）と会談する一方で、民放のバラエティ番組にも出演。そこではお笑いトリオのダチョウ倶楽部(くらぶ)とネタを演じるなど、喜色満面(きしょくまんめん)の様子であった。

漫画、アニメ、ゲーム、そしてお笑い――南アフリカ出身のマスクは、一万四〇〇〇キロメートルも離れた日本の文化を知る自分のことを、国境を越えて異文化に溶け込める懐(ふところ)が広い人物なのだ、と訴えたいのではないか。少なくとも私には、そう思えてならない。なぜなら、たしかにマスクは日本のサブカルチャーに造詣(ぞうけい)が深いのだけれども、それをことさら強調し、自己アピールに利用している側面が否定できないからである。

月旅行の同乗者を公募

2018年9月、月旅行の契約を結び、記者会見する前澤友作氏とイーロン・マスク。前澤氏は同乗する8名の公募を呼びかけた
（AFP＝時事）

その意味では、前述した前澤友作氏の月旅行計画も冷静に受け止める必要がある。なぜ民間人では世界初となる月周回計画に日本人が選ばれたのか。そこにマスクの計算や戦略はないのか。前澤氏は二〇二三年に予定される月旅行を「dear Moonミッション」と命名し、同乗する八名を公募中である。

もっとも、前澤氏自身には「宇宙空間に飛び出したい」という純粋な気持ちがあるのだろうし、マスクと面会して意気投合したとも語っている。夢を語り、その実現に向けて邁進する経営者は世界でも稀な存在だ、とマスクを讃える。

また日本人では、堀江貴文氏もイーロン・

マスクを称揚する一人である。堀江氏もまた宇宙開発事業に参入しているが、彼はマスクを「起業家が普通の人の二・五倍働くと言うのは当然だ」「彼こそ現代最高の経営者だ」などと好意的に評価している。

■パナソニックへの裏切り

ソフトバンクグループの総帥、孫正義氏は、テスラの電気自動車を「先見性がある」と評している。孫氏は太陽光発電など再生可能エネルギーに力を入れており、マスクと相通じるものがあるのだろう。

また、ソフトバンクが一〇〇%出資で立ち上げた「SVF」（ソフトバンク・ビジョン・ファンド）に、サウジアラビアやアブダビの政府系ファンドから出資を募る孫氏に対し、マスクも外国から資金を調達するという点において共通項が見出せる。さらに毀誉褒貶のあることも、皮肉だが二人に共通する。

もう一人、楽天グループの三木谷浩史氏は、仮想通貨「楽天コイン」の構想を明らかにしたが、マスクのビットコイン投資に言及し、学ぶべきことは多いという趣旨の言葉を述べている。

ただ、イーロン・マスクと日本との関係を考察する際、個人ではなく企業について述べないわけにはいかない。それはトヨタとパナソニックである。

電気自動車のシェアは、中国のメーカーが追い上げているとはいえ、いまだにテスラが先頭を走っている。問題は、繰り返し述べてきたように、バッテリー（リチウムイオン電池）素材用の資源の確保である。

テスラ車のバッテリーは、パナソニックとテスラが二〇一七年に共同で設立した工場「ギガファクトリー1」（ネバダ州）で製造してきた。ただし、技術の中核部分はパナソニックが担(にな)い、工場の建設費二〇億ドル（約二二〇〇億円）は、パナソニック持ちであった。ところが新たに操業を開始した上海のギガファクトリー3では、車載用電池は韓国のLGが供給することになったのである。モーター・ジャーナリストたちは、これをテスラの〝裏切り〟と評した。

自分が持っていない技術は、持っている人から学ぶ、あるいは盗む。学び終えたら用はない。あとは自分でやるだけだ――イーロン・マスクの持論である。パナソニックはテスラとの協業体制を見直すことにした。現在、開発中である新型リチウムイオン電池は、テスラ以外のメーカーにも供給する予定である。

■なぜ日本企業と相容（あいい）れないのか

しかもリチウム、ニッケル、コバルトなどレアメタルの確保には、資源の枯渇や過重労働、環境破壊といった問題が山積している。そこでパナソニックはテスラと距離を取ることにした。トヨタと提携し、既存のレアメタルを使わないバッテリーの開発に乗り出したのである。

トヨタの豊田章男（とよだあきお）社長は、マスクの電気自動車に寄せる思いに理解を示しつつも、電気自動車の限界を見据（みす）えているようだ。電気自動車オンリーで進むのは、裾野（すその）の広い日本の自動車産業にとってはマイナスでしかない、との考えである。

一時期、トヨタとテスラとの提携が話題になったが、完全な実現はしていない。二〇一〇年にトヨタがテスラの株式に五〇〇〇万ドル（約四三億円）を投資して、テスラと共同開発した電気自動車「RAV4 EV」を発表したことはある。しかし、二〇一四年には生産を終了した。取得していたテスラの株式も、二〇一七年にすべて売却している。

トヨタは電気自動車一辺倒のテスラと違う道を選んでいる。スバルとの共同開発で、二〇二五年までに一五車種の電気自動車を市場に投入すると発表したけれども、やはり「MIRAI」のような水素燃料電池自動車や、電池とエンジンを併用するハイブリッド・カーに注力する。マスクとの考え方の違いは鮮明である。

一方、パナソニックにとって、テスラは重要な取引先である。それでも前述したように、信頼関係を培ってきたはずの相手に対し、平気で裏切り行為を働くような会社と組んでいけるのか。

日本の企業は、取引先でも従業員でも、信頼関係を大切にする。取引先とは手を携えて苦境を乗り越え、従業員には家族ぐるみで接するのが日本企業の伝統的美徳である。その点、マスクはきわめてドラスティックと言わざるを得ない。

テスラの工場は、アメリカでも事故や災害が多く、悪名高い。従業員のための安全対策など、ほとんど完備されてない。過酷な環境で厳しいノルマを課されるにもかかわらず、適正な報酬も支払われない。そのためテスラの離職率は高く、内部告発が相次ぐのである。従業員が労働者としての権利を守るために、組合の結成を主張しても、マスクは聞く耳を持たない。「仕事をさぼりたい連中が言っているだけだ」と突き放す。

■日本を理解しようとしているのか

パナソニックやトヨタとの関係が冷え込んだとしても、マスクは動じない。中国やインドネシアの企業と連携する選択肢がある、とマスクは公言する。どちらも資源国であり、そのうえ独裁的な国家である。民主主義国家のように議会で話し合いを重ねる手間はなく、トップ交渉で商談が成立しやすい。

あるいは、マスクはこうも言う。

「消費者が何を好むかは関係ない。私は、自分がいいと思った製品を造る。それを消費者が買えばよいのだ」

むしろ、マスクが提供する商品を買わないのは、消費者のほうに問題があるとまで言い出しかねない勢いである。まさに、日本企業の基本的な考え方とは真逆であると言えるだろう。

企業風土の違いと言ってしまえばそれまでだが、マスクが日本のサブカルチャー好きを吹聴するのであれば、彼の非日本的なビジネス手法は矛盾でしかない。

「道場」「切腹」をキーワードに使い、漫画、アニメ、ゲーム、絵文字を多用するのは、日本を利用した表面的な〝話題づくり〟なのではないか。私には、マスクが本当に日本の文化、日本の心を理解しようとしているとは、とても思えない。

第4章　ＩｏＢという次の標的（ターゲット）

■ＩｏＢの三段階

ＩｏＴ（モノのインターネット）から、ＩｏＢ（身体のインターネット）の時代へ――イーロン・マスクのニューラリンクがリードするＩｏＢのビジネス化は、今や世界的な潮流である。日本でも日本ＩＢＭなどの企業が、すでに乗り出している。

その実態を知るために、ここであらためてＩｏＢとはどういうものなのかを整理しておこう。

ペンシルベニア州立大学（マスクが卒業したペンシルベニア大学は私立で、こちらは公立）で法学の教鞭（きょうべん）を執（と）るアンドレア・マトウィーシン（Andrea Matwyshyn）教授は、ノースイースタン大学教授時代の二〇一七年九月に、ＩｏＢには次の三段階がある、と講演で発表している。

第一段階：データの定量化

第二段階：体内内蔵化

第三段階：ウェットウェア化

私はこの分類を踏まえたうえで、私自身の見解を加えて「ＩｏＢの三段階」について述べてみたい。

第一段階の「データの定量化」とは、身体に取りつけたデバイスで血圧や心拍数、睡眠の深さなどを測定し、数値としてデータ化することである。その機能を持つウェアラブルデバイス、すなわちアップルウォッチなどのスマートウォッチは、すでに商品化されている。さらに指輪型の「オーラリング」（Oura Ring）というデバイスも登場した。

人間の生体活動が数値となってデータ化され、それがクラウドなどで集約されれば一種のビッグデータになる。

ビッグデータが解析によって、さまざまな分野に応用できることは、今の産業界では常識だ。たとえばローソンは、ポイントシステム「ポンタ」で顧客の購入履歴を分析して商品の仕入れを最適化しているし、回転寿司チェーンのスシローは、寿司のお皿にＩＣタグを付けてデータ化した売り上げ状況を、今後の需要予測に活用している。したがって、ウェアラブルデバイスが収集した血圧などのデータも、たとえば心臓疾患患者の出現率など、さまざまな〝予測〟に使われるかもしれない。個人の健康状態の把握という領域を超える可能性がある。

現下のコロナウイルス禍で、ワクチン接種が進められているが、実はこのワクチンも「データの定量化」と密接に関連しているのだ。ワクチンについては別項で詳述しよう。

■「ウェットウェア」とは何か

次に第二段階の「体内内蔵化」である。マトウィーシン教授は、心臓のペースメーカーを例に挙げている。ペースメーカーは、文字どおり外科手術で「体内に内蔵」させる機器であり、今は小型化されて通信機能も備えている。心臓の状態がサーバーに送られ、そのデータを医療機関がモニタリングするから、遠隔診療が可能となっているのだ。

マトウィーシン教授は、皮膚に貼りつけるシールやタトゥー型のデバイスを第一段階の

「データの定量化」に分類しているのだが、私は人体に直接プリントもしくは接着することから、タトゥー型は「体内内蔵化」とすべきと考える。現在、グーグルが開発中のタトゥー型デバイス、すなわち「スマートタトゥー」は、センサーを搭載したタトゥーにスマートフォンのタッチパッドと同じ機能を持たせようとするものである。またイタリアの「イタリア技術研究所」（ＩＩＴ）では、有機発光ダイオードを使ったスマートタトゥーで健康状態を把握する研究に取り組んでいる。

この第一、第二段階までは、前述したように一部で実用化が進んでいる。

そして最後の第三段階「ウェットウェア化」は、実用化はおろか、まだ実験の初期段階だが、まさにイーロン・マスクがニューラリンクで進めるＢＭＩ、つまり脳にデバイスを埋め込むことに他ならない。

マトウィーシン教授がＩｏＢの三段階を提唱した二〇一七年は、マスクがニューラリンクの設立を公表した年でもある。教授はマスクのＩｏＢ構想を知る立場にあった。

なお「体内内蔵化」と「ウェットウェア化」の差異は、デバイスの装着箇所が脳であるか否（いな）かの一点に集約される。脳は、張りめぐらされた毛細血管を血液が流れる臓器という意味において「ウェット」（wet／湿潤）であり、脳科学が目覚ましく進歩したとはいえ、未知の部分も残っている。それだけに、脳に埋め込むＢＭＩは、ハードウェアでもソフトウェアでもない第三の「ウェア」（ware／器物）として、ウェットウェアと呼ぶに相応しいのである。

■グーグルの「ネストハブ」と「フィットビット」

私たちの身近なところで、ＩｏＢビジネスの裾野は急速に広がりつつある。スマートウォッチなら、心電図アプリや血中酸素濃度を測定する機能を搭載したものも登場した。慶應義塾大学病院は、心電図アプリを使った臨床研究「アップルウォッチ・ハートスタディ」（Apple Watch Heart Study）を開始したが、これはアップルウォッチが持つ心電図解析データ機能によって患者の状態を把握し、不整脈の起こり方を推定するアルゴリズムの構築を目指すものである。

また、ウェアラブルデバイスではないが、「スマートディスプレイ」と呼ばれるグーグルの「ネストハブ」(Nest Hub) は、ユーザーの音声をＡＩでデータ解析する。たとえば枕元に置くと、就寝中のいびきや呼吸、寝返りなどから睡眠の状態を検知し、健康上のアドバイスをしてくれるという。

グーグルはＩｏＢビジネスに積極的で、二〇二一年一月にアメリカの「フィットビット」(Fitbit) という会社を二一億ドル（約二二〇〇億円）で買収した。

フィットビットは「ウェアラブルデバイスのパイオニア企業」と呼ばれ、特に「フィットネストラッカー」というスマートウォッチで成長してきた。これは心拍数の測定はもちろんのこと、ランニングや水泳など、ユーザーが設定したエクササイズの目標が、どの程度達成できたかを知らせる機能も持つリストバンド型のデバイスである。現在、フィットビットはグーグルのアンドロイド端末向けコンテンツ「グーグルプレイ」(Google Play) のアプリの一つとなっている。

こうしたウェアラブルデバイスが肯定的に認知されると、個人による購入が増えるだけでなく、たとえば企業が従業員に使用を奨励するケースも目立ってきた。実際、ウェアラブルデバイスを支給して従業員の健康管理に配慮する企業ほど離職率が低い、という調査報告もある。その結果、ＩｏＢビジネスはプラスの循環を伴ってマーケットを拡大してゆくのである。

■「飲み込み型」のＩｏＢ

ＩｏＢの第二段階「体内内蔵化」に関しては、まだ日本ではあまり知られていない技術について述べなければならない。

それは「デジタルピル」（Digital pills）である。

ピルとは錠剤のことだが、そのなかに超小型のセンサーが組み込まれているのがデジタルピルだ。これを処方された患者が服用すると、体内で薬効（やっこう）が発揮されているか、あるいは処方箋どおりにきちんと服用しているかどうかが分かる。センサーがデータとして送信するからである。飲み込むことで「体内に内蔵」する。つまり、外科手術を必要としないＩｏＢと言えるだろう。

アメリカでは一九五七年から、デジタルピルの原理的研究が始まっていた。それが一九九〇年代に入り、ＦＤＡ（米食品医薬品局）が研究を奨励するようになった。そして二〇一七年一一月、ＦＤＡは初のデジタルピルを承認するに至る。しかも、その〝新薬〟は日本の大塚製薬が開発した錠剤だったのである。

大塚製薬は、プロテウス・デジタルヘルス（Proteus Digital Health）というアメリカの医療機器ベンチャーと共同で、デジタルピル開発に取り組んだ。プロテウスは砂粒ほどの極小センサーを製造する技術を持つ。この技術と自社の坑精神病薬を融合し、到達した新薬「エビリファイ マイサイト」（Abilify MyCite）が、ＦＤＡから製造販売の承認を得たのである。

このデジタルピルは服用後、胃のなかでカプセルが溶けて胃液にセンサーが反応し、その信号を身体に貼りつけたパッチ型の検出器がクラウドに送る。クラウドに蓄積されたデータから服用状況が分かるという仕組みである。ちなみにセンサーは体内に吸収することなく、自然に排泄される。プロテウスの経営破綻で一時、先行きが危ぶまれたが、二〇二〇年八月、大塚製薬は競売でプロテウスを買収し、今後の方向性を模索中である。

■ワクチンの罠

デジタルピルは海外での普及率が高い。デンマークやオーストラリア、ニュージーランド、イスラエルなどは、政府がデジタルピルによる服薬データの収集を奨励している。

ただし、見方を変えれば、スマートウォッチであれデジタルピルであれ、人体から得たデータをビッグデータとして定量化、すなわち数字として可視化することは、一種の危険性と隣り合わせであると言える。ビッグデータはさまざまな予測に活用できると前述したが（141ページ）、ＩｏＢのテクノロジーで蓄積したデータが人間の行動様式を予測し、逆に人間を管理するツールに変貌してしまう可能性を排除することはできない。

卑近な例では、新型コロナウイルス対策のワクチンである。

目下、世界中でワクチンの接種が進行中だが、ワクチンそのものをＩｏＢにカテゴライズすることはできない。しかし「データの定量化」という意味においては、ウイルス感染症陽性者の行動履歴が各国でデータ化されており、新たに登場した「ワクチンパスポート」も定量化を大きく支えることになる。

ワクチンの接種は進む。しかし……

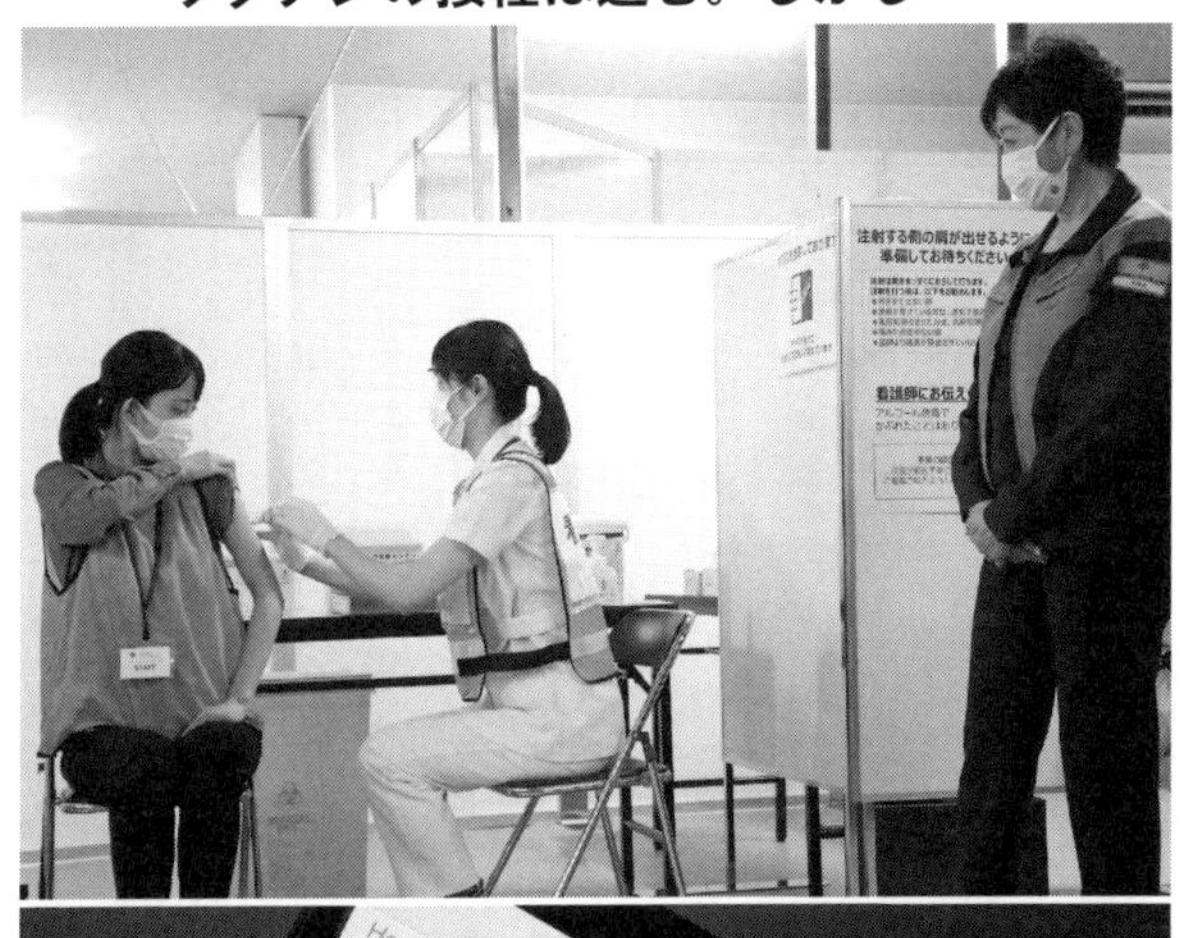

㊤築地市場跡地の大規模接種会場で、予行演習を視察する東京都の小池百合子知事　　（時事）
㊦米ニューヨーク州が導入したワクチンパスポート「エクセルシオール・パス」　　（AFP＝時事）

ワクチンパスポートとは、ワクチンの接種歴やＰＣＲ検査の結果などを証明するもので、これを提示することにより海外渡航や大規模施設への入場が可能になる。多くは証明書をスマートフォンなどにダウンロードするデジタル式だ。

たとえば、世界の航空会社が加盟するＩＡＴＡ（国際航空運送協会／International Air Transport Association）は、乗客が激減する苦境を打開するために、ワクチンパスポートの導入に積極的である。中東のイスラエルでは、ホテルのチェックイン時に提示が義務づけられている。アメリカのニューヨーク州は、接種歴をＱＲコードで表示する「エクセルシオール・パス」を導入済みで（前ページ下の写真）、日本でも経団連が政府へ働きかけている。つまり、世界規模でワクチンを接種したかどうかという「データの定量化」が進行しているのである。

ちなみにイーロン・マスクは当初、「新型コロナウイルスは従来のインフルエンザと変わらない」などと言っていたが、変異種が出現したり新規患者が拡大したりすると、徐々に態度を変えた。

「私もワクチンを接種する。ワクチンを広めることに前向きである。私は決してワクチン反対論者ではない」と、クラブハウスのトークで語っている。ただ、そこには彼の思惑もあるようだ。トークに参加したユーザーの反応を彼自身が収集し、ワクチンをめぐってどのようなニーズがあるのか探っているのだろう。事実、マスクがワクチン開発に参入するのではないか、あるいは接種の進捗状況をモニタリングするようなＡＩを新ビジネスにするのではないか、といった観測も流れているのである。

不都合な真実

日本でもアメリカ、ＥＵでも、ワクチンを接種しない者は非国民的に扱われる風潮がメディアを通じて醸成されている。

しかし、新型コロナウイルスの正体が完全に解明されていない現状で、既存のワクチンがあるにもかかわらず、なぜ急に登場してきたアメリカのファイザー（Pfizer Inc.）やモデルナ（Moderna）のワクチンを使うのか。しかも、今まで人間には適用されたことがない「メッセンジャーＲＮＡ（mRNA）ワクチン」を接種させる正当性がどこまであるのか

——この点を私は看過してはならないと考える。冷静な視点が必要である。

たしかに人類の歴史は感染症との戦いでもあった。私たちは、それを多くの犠牲のうえに克服してきた。だが、現在のコロナ禍を見ていると、本当に国民がこぞってワクチンを接種しなければ対応できないのか、大いに疑問がある。

メディアは報じないが、ファイザーやモデルナ、そしてジョンソン・エンド・ジョンソン（Johnson & Johnson）といったアメリカのビッグ・ファーマ（大手製薬会社）は、先の米大統領選挙期間中、バイデンに多額の政治献金をしてきたのである。もちろんトランプにも献金はしているのだが、額が違う。実にトランプの四倍近く、五九〇〇万ドル（約六億二〇〇〇万円）を投入したのだ。さらにはメディアにも巨額の宣伝費を投じている。企業としては、そのコストを回収しなければならない。

ビッグ・ファーマがバイデンに肩入れする最大の理由は、トランプが大統領令で薬価を強硬に切り下げようとしたためである。アメリカで使われている医薬品の九〇%は低価格が売り物のジェネリックであり、製薬会社は厳しい経営環境が続いている。ビッグ・ファーマとすれば、新薬の開発にも前向きなバイデンのほうが、何を仕出かすか先の読めないトランプよりも頼りがいがあると判断したに違いない。

二〇二一年一月二二日、メジャーリーグで歴代二位のホームラン王、ハンク・アーロンが死亡した。彼は亡くなる二週間ほど前の一月六日に、新型コロナウイルスのワクチンを接種していた。アメリカでは黒人の接種率が低いので、黒人である自分が呼びかけ人になろうと接種に臨(のぞ)んだのである。その直後の死であった。ワクチンと死亡との因果関係は証明されていないものの、現地のメディアはワクチン接種の事実すら報じようとしなかった。ビッグ・ファーマにとってネガティブな情報は、広まらないように仕組まれていると見られても仕方がないであろう。

■ファイザー元副社長の告発

メッセンジャーRNAワクチンは、わずか一年弱の治験で承認され、全世界への供給体制が組まれた。大至急、無理やり供給しようとする側面が否定できない。なぜ、それほど急ぐのか。もちろん、全人類の健康のためという大義名分はあるだろう。しかし、果たしてそれがすべてなのか。

メッセンジャーRNAワクチンは、次世代の治療の切り札と目されている。とはいえ、副反応をはじめとする人体への影響を正確に検証するには、一年から二年の時間をかけなければならない。また、専門家は否定するが、人間のDNAに作用し、生物化学兵器にもなり得るという不安は人々の間から消えない。

ファイザーの元副社長で、科学主任を務めたマイケル・イードン（Michael Yeadon）の告発は、人々を震え上がらせた。彼はツイッターやユーチューブを通じて「ワクチン接種には意味がない」と訴え、さらに動物実験段階で相当数が死に、ワクチンを接種した人間は天寿をまっとうできないだろう、とまで語ったのである。

これも専門家たちは「虚偽情報だ」と全否定するのだが、発言者がファイザーの幹部であっただけに、やはり波紋が広がった。ワクチンの安全性について、十分な情報が開示されていないことの裏返しに思えてくる。

また、現職のファイザー幹部の発言にも、私は注目する。ファイザーのCFO（最高財務責任者）、フランク・ダメリオ（Frank D'Amelio）が、ジャーナリストのリー・ファン

(Lee Fang) にズームでのインタビューで答えている。このようなやり取りだ。

ダメリオ「ワクチンは三回、接種したほうがいい」

ファン「今は二回です。なぜ三回なのですか」

ダメリオ「(二回増えればファイザーが) 儲かるからだよ」

まさに露骨な拝金主義であろう。

ある厚生労働省の医務官は、私との個人的な会話の場で、こう言った。

「今の状況では、アメリカ製のワクチンは打ちません」

ビッグ・ファーマにとって〝不都合な真実〟は、なかなか表に出てこない。

私たちは、一人ひとりが情報への感度を高め、自分で判断できるようにしなければならないのである。

■ アメリカ政府の国民管理計画

「データの定量化」には、政府レベルで促進する動きも見逃せない。

アメリカのDHS（国土安全保障省／Department of Homeland Security）は、二〇二二年までに最低二億五九〇〇万人の「バイオメトリクスデータ」を確保する方針を打ち出した。バイオメトリクスとは、バイオロジー（生物学）とメトリクス（測定）の合成語で、「生物統計学」と訳されるが、分かりやすく言えば「身体的特徴から本人を確認する認証」のことである。

DHSは、個人のDNA情報や顔、指紋、眼球の虹彩などを収集してデータ化することで、アメリカ国民をコントロールするシステムを構築しようとしているのだ。この計画は「HART」（国家先端認証技術／Homeland Advanced Recognition Technology）と命名された。アマゾンのクラウドを使うというこのシステムは、軍需産業のノースロップ・グラマンが受注している。

表向き、コロナ禍で人の移動を把握し、感染拡大防止に活用することになっているが、中国を意識した動きであることは間違いない。周知のように、中国ではスマートフォンに紐づけた個人認証が広く行きわたっている。

ＨＡＲＴシステムは、人体とＡＩをネット接続し、個人の健康状態を二四時間、チェックできると標榜する。仮に異常が検知されれば、病気を発症する前に抑える。すると医療費の削減にもなる、という建てつけである。

また、アメリカでは二〇二一年一月一四日に「ＶＣＩ」（ワクチン接種認証プログラム／Vaccination Credential Initiative）が始まった。これは先述したワクチンパスポートを裏書きするようなプロジェクトで、マイクロソフトやオラクルといったＩＴ大手や、ビッグ・ファーマ、ロックフェラー財団などが連携する共同事業である。目的は、ワクチンの接種済みをデジタルで証明し、普及させることだ。まさにＩｏＢへの布石と言っていいであろう。そこには、まだ見ぬ市場というビッグ・ビジネスのチャンスが眠っているのだから。

■ダボス会議とIoB

IoBへの機運を盛り上げ、強く推進する組織がある。「WEF」(世界経済フォーラム/The World Economic Forum)である。「ダボス会議」と呼ぶほうが分かりやすいかもしれない。一九七一年に設立されたWEFは、世界各国の政治、経済、学術のリーダーたちによる交流を趣旨としており、年に一回、一月にスイスのスキーリゾート、ダボスで総会を開く。それがダボス会議である。会議では、そのときどきの世界的な課題について議論が交わされる。

二〇二一年のダボス会議はコロナ禍に配慮して、例年一月が恒例だったのを五月に延期したのだが(八月に再延期し、結局、中止となった)、その代わり、一月にオンラインで準備会合「ダボス・アジェンダ」が実施された。このときのテーマが「グレート・リセット」(The Great Reset)、直訳すれば「大いなる組み直し」である。

この「グレート・リセット」は、ドイツ人の経済学者でWEFの会長を設立時から務めるクラウス・シュワブ(Klaus Schwab)が著作のタイトルに掲げた言葉だが、もともと発

話し合われた「グレート・リセット」

2021年1月29日、オンラインで開かれたダボス会議の準備会合。左画面は菅義偉首相。中央がクラウス・シュワブWEF会長

（EPA＝時事）

案したのは社会学者のリチャード・フロリダとも、ビル・ゲイツだとも言われる。つまるところ、社会のあらゆる分野で根本的な見直しが求められている、ということだ。WEFの取締役、リー・ハウエル（Lee Howell）は、次のように語る。

「世界が直面する難題の大半は、政府や企業、社会の協働なしに解決不可能だと認識する必要がある。コロナ危機は従来のシステムを根こそぎ破壊したが、そうしたシステムは多くの意味で持続不可能なものであり、抜本的改革が必要だという点も認識すべきだ。

そこで提案したいのが『グレート・リセッ

ト』だ。今こそが、もっと公平で自然を重視した未来を築き、世代間の責任とグローバルな市民としての立場を統合するための好機だととらえ、現状を見直すこと。それがグレート・リセットだ」(『Forbes JAPAN』二〇二〇年一二月二一日付)

シュワブは、かねてから「第四次産業革命」を唱道(しょうどう)している。その文脈でＩｏＢ時代の到来に言及してきたことが興味深い。

すなわち二〇二五年までに、人類は通信機能を備えたデバイスを体外もしくは体内に取り入れる。すると人類が手にする情報のスピード、量、範囲が一気に拡大されるだろう――シュワブはこのように指摘したのであった。直接的に「ＩｏＢ」という単語は用いずとも、本書でこれまで見てきたＩｏＢの枠組みと同じであることが察せられよう。その一つの帰結が「グレート・リセット」なのである。

■人間の価値観が根本的に変わる

シュワブとＷＥＦが提唱するグレート・リセットは、経済、社会的基盤、環境、技術、産業、企業、個人といった多岐にわたる分野での「リセット」を包括するものだが、新型コロナウイルスによるパンデミックが急激に動きを加速させたことは間違いない。そしてダボス会議の参加者である各国のリーダーたちが煽動すれば、人々は否応なくグレート・リセットの波に乗せられてしまうだろう。ＩｏＢのビジネス化は、その波の動きにシンクロしているのである。

第1章で触れたアメリカのランド研究所（58ページ）も、これからの世界はＩｏＢに移行する、としている。とりわけ個人情報の管理と活用に注目し、バイオメトリクスデータの重要性について研究を進めた。前述のＤＨＳ（国土安全保障省）が二億五九〇〇万人のバイオメトリクスデータを確保する方針を打ち出した背景には、この研究成果が深く関わっているはずである。

身体からデータを採取すると言われれば、誰しも拒否反応を示すだろう。しかし、「ウイルスの感染を防ぐためです」という大義名分が、人々の拒否感を消失させてしまう可能性がある。その意味で、私は「パンデミックがグレート・リセットを加速させた」と述べたわけである。

さらに言えば、グレート・リセットは、ＩｏＢを第一段階から第二段階へ、さらには第三段階へと強力に後押しするだろう。なぜなら、人間の価値観を根本的に変革しようとするからである。人間とＡＩの一体化に備えるべきだ、それが新常識なのだ――とアナウンスすることによってマインドコントロールする。人々は、やがて脳にインプラントを埋め込むのは当然だ、と思うようになるかもしれない。

すると、そこにイーロン・マスクのビジネスチャンスが生まれるのである。

■軍と感染症と安全保障

ＩｏＢと軍事については第1章でたびたび触れたが、本章で扱ったワクチンにも関係するので、あらためて述べよう。

旧日本軍の七三一部隊や、ナチスによる収容所での人体実験を挙げるまでもなく、第二次大戦前から細菌兵器の研究は行なわれてきた。したがって、現代でも新しい細菌兵器が次々と開発されることは、当然のように予想できる。

アメリカでは、米軍の兵士が細菌兵器の犠牲にならないように、ワクチンの開発が急務とされた。同時に、感染症に抵抗力を持つ兵士の養成にも取り組んだのである。

国防総省は二〇〇六年に、「ＰＨＤ」（健康と疾病の予測／Predicting Health and Disease）というプログラムを立ち上げた。感染症が広がって感染者が多く発生する前に、その兆しをキャッチして対策を講じるというものである。ＰＨＤは安全保障上の重要な戦略に位置づけられた。

二〇一〇年になると、ＤＡＲＰＡの先端技術開発室がデューク大学に予算を投入して、感染症で血液に起きる遺伝的変化の研究を行なわせている。また、感染症が拡大するルートを予測し、スマートフォンなどを通じて国民に情報提供するシステムも模索した。

その延長線上で二〇一四年、ＤＡＲＰＡは新しいプログラム「ＩＶＮ」を立ち上げる。「生体ナノプラットフォーム」（In Vivo Nanoplatforms）と、日本語に訳しにくいが（in vivoとは「生体内で」という意味のラテン語）、これは脳に小型のチップを埋め込み、感染症に対してどのような反応をするのかを検証するプログラムである。イーロン・マスクのニューラリンクが進める「BMI」の原型と見ることもできる。

またDARPAはNIH（国立衛生研究所）と共同出資で、プロフューザ（Profusa）という製薬会社に新しいワクチンの開発に着手させている。さらにグーグルと連携し、全国レベルでのコンタクトトレーシング（感染者が次の人に感染させたルートの追跡）も開発させていた。これらの研究開発が、現在のワクチンパスポートに繋がるのである。

こうしたなかで、感染症に強いDNAを持った〝新しい人間〟を創出するという研究まで始まった。「HAC」（人工染色体／Human Artificial Chromosomes）である。これもDARPAの先端科学研究室が民間企業や大学に資金提供して、研究を後押ししているのだ。

かつてDARPAは、このような〝新造人間〟を「メタボリカリー・ドミナント・ソルジャー」（Metabolically Dominant Soldier）と呼んだことがある。兵士たちが空腹や疲労、恐怖心などを克服するための薬を開発するプログラムのことである。薬を投与された兵士は、スパイダーマンのようなスーパー・ソルジャーに変身する。

一方、イーロン・マスクは、自ら(みずから)が目指す脳とＡＩを合体させた〝サイボーグ人間〟を「メタボリカリー・ドミナント・ファイター」（Metabolically Dominant Fighter）と呼ぶことがある。マスクがＤＡＲＰＡのプログラムを意識しているのかは定かでない。しかし、方法論が違うとはいえ、両者の指向するところは同一と見做(みな)さざるを得ない。

何しろマスクがニューラリンクで着々と開発を進めるＢＭＩは、二〇〇二年の時点でＤＡＲＰＡがその必要性を認識していたのである。たとえば人間の脳から狙ったネズミの脳に働きかけて、ネズミを自由に動かす。それを進化させると、戦場で味方の兵士同士が通信機器を使わずに脳だけで交信でき、軍事的な行動ができる。さらにドローンもコントローラーなしで操縦が可能になる。敵の兵士はおろか、元首の脳でさえハッキングして行動を変えさせる――このような軍事的応用を研究し続けているのだ。

ペンタゴンとＩｏＢの親和性

国防総省(ペンタゴン)によるＩｏＢの実験は長年にわたって行なわれている。たとえば二〇一九年六月、赤外線レーザーを使い、二〇〇メートル先にいる人間（洋服の上から）の心臓の電気信号を、九五％超の正確さで受信することに成功。病院のみならず、戦場で自国兵士の体調を正確に把握できるわけで、こうした技術の応用範囲はきわめて広い。

私はこれまで、ＤＡＲＰＡが毎年開催する「官民合同技術交流展」にたびたび参加してきたが、いつも驚かされた。たとえば、古タイヤから新たな発電を可能にする装置。はたまた猿や豚の体内に人間の細胞を移植し、人工的に臓器移植の材料を製造する機械などである。

毎回の展示会には世界中の投資家や起業家が集まり、新しい技術に未来のビジネスチャンスを見出そうとしていたものだ。このところの目玉技術といえば、消費者向けＩｏＢである。以下、いくつか最新の研究成果を紹介してみたい。

①**注意喚起機能**：脳や目の動きを監視する眼鏡（めがね）。ウェアラブルの最新バージョンと言えるだろう。本来は戦場での兵士の動きをサポートする目的で開発されてきたものだが、学校での生徒の行動や運転中のドライバーに注意喚起を促（うなが）すことが期待されてい

る。商品化に当たってはマサチューセッツ工科大学に研究委託が行なわれた。

②**インプラント・センサー**：「細胞内バイオセンサー」とも呼ばれる最新技術である。人体に注射するため既存のウェアラブルより精度の高い分析が可能となり、ブドウ糖、塩分、アルコールの消費量を分析することで、人間の体調や健康管理に二四時間対応が期待されている。

③**センサー付き衣類**：これも人の体温や血流を常時監視することを可能にするウェアラブルである。乳幼児用オムツとして活用すれば、言葉を話せない赤ちゃんの腸の具合を詳しく監視できる。

④**インターネット接続の家具**：家庭内の家具や家電製品を通じて、人やペットの健康管理に効力を発揮する。トイレは尿の流れをモニターし、糖分などを検査。体重計は体重のみならず水分量や筋肉量も把握し、個人の体調管理に万全を期す。

⑤**センサー付きベッド**：これは睡眠中の身体の動きを分析し、睡眠の量や質に関するデータを収集する。

⑥**インプラント・マイクロチップ**：加齢による記憶力の衰え（おとろえ）をカバーするもので、

皮下に埋め込む。人の名前、住所、本人との関係性を記憶し、コミュニケーションをサポートする。ペット用のチップの発展形である。ドアの開閉や支払い機能も付与できるため、スマホ機能と同じと言えるだろう。同様の技術を応用し、精神、感情を顔の表情や声のイントネーションで分析する研究も進んでいる。

⑦**視覚、聴覚補助**：二〇一七年、アメリカではビデオカメラとワイヤレス機能付きの眼科レンズが特許承認を受けた。聴覚支援装置も同様で、両者を組み合わせることで行動監視に有益と目（もく）されている。

⑧**健康追跡装置**：ブレスレット、時計、指輪、スマホアプリは心臓機能、睡眠パターン、アルコール摂取量など、あらゆる行動データを収集、分析することに使われる。

⑨**頭に装着する脳神経把握装置**：電子シグナルで脳神経を刺激し、脳の活性化を図る。慢性的な痛み、精神的落ち込み、注意散漫、ＰＴＳＤ症候群の緩和が期待されている。

マスクはどうする？

これらの新技術や装置は、すべて医療費の削減につながる。と同時に、ハッキングによる悪用の危険性も指摘されている。二〇一九年五月、中国人ハッカーによるアメリカ最大の医療保険会社「アンセム」（Anthem）への侵入が検証の対象となった。その結果、八〇〇〇万人のアメリカ人の医療データが流出したことが確認された。

しかも、連邦政府職員の半分の医療データが中国に流出した可能性も急浮上。言い換えれば、中国はアメリカ国内の保健衛生関連会社への投資、提携、買収によって、アメリカ人の健康を左右する個人データを大量に入手している可能性が高いということである。

つまりＩｏＢのさまざまな技術は、政府が主導する形で実験、開発が進み、期待は高まる一方である半面、その安全対策はまだまだ開発途上なのだ。新型コロナウイルス用のワクチンも同様だが、思わぬ副作用や危険性も潜(ひそ)んでいる。くれぐれも慎重な対応が欠かせないのである。

イーロン・マスクは、国防総省によるテクノロジーの軍事転用に加担するのか。はたまた、政財界人が主導するグレート・リセットの波に与するのか——私は、どちらもイエスだと考える。

第5章

マスクが描く未来

■「私は社会主義者である」

イーロン・マスクは、これからの世界がどう変わると見ているのか。あるいは、どう変えようとしているのか。

この問いを読み解く鍵は、マスク自身の言葉にある。

二〇一八年六月一六日、マスクはツイッターで「私は社会主義者だ」（"I am actually a socialist."）と宣言し、続けて「真の社会主義とは万人のために尽くすことだ。マルクスは資本主義者だった。そんな本を書いていただろう」と述べた。

そのうえ「だいたい、自分で社会主義者と言っているような連中は性格が暗くて、ユーモアのセンスがない。そのくせ、授業料の高い大学に通っていた。運命なんて皮肉なものだ。私は国の税金を、みんなが喜ぶような事業に活かすことのできる真の社会主義者だ」と自己PR。しかも、「将来、火星に移住し、コロニーを建設する予定だが、そこでは真に平等な社会を目指す」とまで発言したのである。

マスクが本来的な意味で「社会主義」という言葉を使ったとは思えない。むしろ勝手気ままな解釈と言えよう。教科書で習うとおり、社会主義は資本主義の対立思想である。ごく簡単に言えば、平等・公平を理想として、国家が社会の資産を管理するものである。

しかしマスクに言わせるなら、真の社会主義者とは、自分個人や自分の会社ではなく、社会全体、国民全員の利益を考える。自分は真の社会主義者を目指しているから、政府や州の予算といった公（おおやけ）の資金を賢明に使うのだ。さもなければ社会全体の利益につながらない――このように熱く述べるのである。

さらにマスクは言う。

「国防総省にせよ国務省にせよ、アメリカにはたくさんの政府機関があるが、少なくとも一〇億ドル以上の予算を持っているところが散在する。一〇億ドルはビリオネアの条件だ。ということは、政府機関も個人のビリオネアも同じなのだ。しかし、自分の持つ資産を社会全体のために使うことに関心のあるビリオネアは少ない。私は社会主義者の観点から、（潤沢な）国の予算を賢（かしこ）く平等に使うために努力している」（インタビューから要約）

このレトリックは巧妙だと思う。聞く側を納得させる自己正当化のストーリーを、彼は上手に構築している。

では〝社会主義者〟イーロン・マスクが描く未来図を覗(のぞ)いてみよう。

■未来の学校

まず、マスクの私生活から見てゆくことにする。

二〇二〇年五月四日、交際中のグライムスとマスクとの間に男の子が誕生した。名前を「エックスアッシュエートゥエルブ」(X Æ A-12)と言う。ただし「Æ」ではカリフォルニア州の出生証明書が取得できないため、書類には「X AE A-12」とした。

マスクがツイッターでこの名前を発表すると、フォロワーは「ユニークすぎる」「何と発音するの?」「名づけた理由が知りたい」などと反応。そしてグライムスが命名の由来を明かしたのである。

「『X』は『未知の変数』。『Æ(AとEを合成した文字)』はAI(人工知能)を自分なりのスペルで綴った。中国語や日本語では『愛』(LOVE)の意味もある。『A-12』は『SR17』(自分たちが大好きな飛行機)の前身の機体。兵器も防御もなく、あるのはスピードだけ。

戦闘能力は高いけれども暴力性はない」

ユニークな名前の赤ちゃん

2020年5月4日に誕生した「X Æ A-12」とマスク
（メイ・マスクのツイッターから https://twitter.com/mayemusk/status/1259297517776171008）

すでに述べたように、マスクには最初の妻ジャスティンとの間に五人の子どもがいる。正確に記せば六人なのだが、第一子は生後一〇カ月で突然死してしまったのだ。マスクはジャスティンと相談し、体外受精に挑戦した。その結果、双子と三つ子に恵まれたのである。現在、上の二人は一七歳、下の三人は一五歳に成長している。

マスクは二〇一四年、子どもたちがまだ幼いころ、私学のような教育の場を設けた。彼ら五人と、テスラやスペースXの従業員の子ども、合計三〇人ほどを学ばせるためである。「アド・アストラ」(Ad Astra) と命名されたその学校では、教師と生徒が一対一で、学年は無関係。教えることはAIやプログラミング、ゲームが中心であった。

マスクによれば、これからは外国語を学ぶ必要はない。音楽やスポーツも必要ない。なぜなら外国語は、脳とAIを合体することで即座に理解できるようになる。芸術も、自分でソフトを開発すれば、アーティストとして活躍できる。面白くてエキサイトできるゲームが、勉強には最も大切なのだ、ということである。

だから大学に進むのも無駄であり、宿題ばかり押しつけられるような環境に意味はない。仮に大学へ行くとしても、そこで学ぶのではなく、同世代の人たちと交流することが重要なのだともマスクは言う。彼独特の教育観である。既存の学校教育に真っ向から疑問を呈している。

マスク自身、スタンフォードの大学院を二日で退学している。少年時代は図書館に通いつめてSF小説に没頭した。自分でプログラミングしたゲームが五〇〇ドルで売れた。こうした体験が、彼の〝学歴無用〟という考え方を培(つちか)ったのであろう。つまり自分が楽しめ、エキサイトできることがなければ、何も身に付かない。それがマスクの持論となっている。

学校の教科書からは、何も新しいものが生まれない。むしろインターネット空間に流布する、主要メディアが見向きもしないようなコンテンツに、未来を切り開く教材が隠されているのだ、とマスクは説く。だからテスラでもスペースXでも、ニューラリンクでも、社員には学歴を求めないのである。

アド・アストラの校舎は、カリフォルニア州の高級住宅地にあった。しかし二〇二〇年、マスクはこの物件を売却したと伝えられる。廃校としたのか、移転したのかは判然としないのだが、既存の教育からは何も生まれないと確信するマスクが、未来の学校を創立する選択肢は残されている。

■消費者(ユーザー)に目を向けているか

家庭と教育に続いて、マスクのビジネスの未来を占ってみたい。

テスラは、年間二〇〇〇万台を今後の販売目標に掲げている。しかし二〇二〇年の販売実績は、五〇万台であった。その二〇％に当たる一〇万台が中国だったことは前述した（112ページ）。

五〇万台を、その四〇倍の二〇〇〇万台に増やすというのは、遠い道のりである。だが、こうした大風呂敷（ビッグ・マウス）をあえて広げるのがマスクの戦術であり、他の起業家には真似（まね）のできない話題先行型のビジネスモデルである。

第1章で触れたが、二〇一九年に戦場で使えるような「サイバートラック」を発表した。たしかに頑丈な防弾仕様で、「大災害や大きなテロなど危機的状況に対しても、この車に乗っていれば安全だ」という触れ込みである。わずか六・五秒で時速九七キロまで加速し、最高速度はポルシェ911を上回るうえに、牽引力（けんいんりょく）もフォードF－150を超えるという。これほど高スペックを誇るピックアップトラックはない、と自画自賛である。

また、電気自動車のモデルSやモデルXにも、たとえば生物化学兵器で攻撃を受けた場合に撃退できる機能を持たせたようである。HEPA（ヘパ）（High Efficiency Particulate Air（ハイ エフィシエンシー パティキュレイト エア））という高性能フィルターで、有害物質を九九・九七％除去できると発表した。

HEPAは、今ある最高性能の自動車用フィルターと比べ、一〇〇倍の効果があり、空気中に漂う〇・一ミクロンの粒子も除去する。これからの自動車は第二の自宅になるから、「移動する自宅」で健康かつ安全な空間を確保するためには、高性能のフィルターが欠かせない。これさえあれば、新型コロナウイルスも除去してくれる――マスクのアピールは止まらない。

宣伝文句としては、メディアも飛びつく。ただ、高性能フィルターを装着した電気自動車が、一体いくらになるのかについては説明がないのだ。私は、それほど高性能のフィルターが開発できているのであれば、自動車に限らず住宅やオフィス、病院などに広めたほうがウイルス対策になると思ったが、マスクはとにかく電気自動車という自分の商品を大々的にPRしたい。実際にユーザーが求めているのかどうかは、彼の関心から外れているのである。

繰り返すが、マスクは自分が「これはすごい」と思ったものを全精力、全資金を投入して世の中に出しているのだから、買わないほうがおかしい、と固く信じ込んでいる。熱烈な〝マスク・ファン〟にはある程度、訴えるのだろうけれども、消費者不在の感は拭えない。大いにクエスチョンマークが付くところである。

■火星への遠い道

スペースXのほうは、どうだろう。

現在の計画では、二〇二四年、遅くとも二〇二六年には、火星への有人飛行を成功させる――としている。そのために二二億ドル以上（約二四〇〇億円超）の資金を集め、火星への準備段階として有人の月周回旅行を二〇二三年に実施する。この宇宙船に乗り込むのが前澤友作氏である。

ただ、テスラやニューラリンクの記者発表とは違い、イーロン・マスクは最近、トーンダウン気味である。「月を通り越して火星に行く時代だ」とは言うものの、クラブハウスのトークでは、「火星への移住は最終目的として準備はしているが、なかなか火星での生活は思ったほど楽ではない」と語っていた。

やはり、火星への有人飛行は簡単ではないという現実を、マスク本人が認識し始めたのだろう。資金面もそうだが、技術面では非常にリスクの高いプロジェクトなのだ。

しかし、失敗を恐れず、その「リスク」をあえて取ることが、マスク自身が歩んできた道であり、彼の生き様である。石橋を叩いて渡るように慎重に準備を重ね、それでもリスクを考えて後ずさりするのでは、イーロン・マスクがイーロン・マスクでなくなってしまう。人生一〇〇年として、彼に残された時間は五〇年。その五〇年で、どれだけ言行一致できるのか。大いに注目したいところである。

ちなみに、マスクの五人の子どもたちは「お父さんの考えているような火星コロニーには行きたくない」と口をそろえているらしく、父親よりは現実的なようである。

ただし、宇宙船ではなく通信衛星事業に関しては、将来的にも有望だ。

国連が二〇一五年に採択した「2030アジェンダ」（持続可能な開発のための2030アジェンダ）は、持続可能性のある世界を目指す世界的な開発目標だが、そのなかに先端科学技術の開発として、5G、6Gの活用が謳(うた)われている。その通信機能を備えた衛星の、さらなる打ち上げも見込めるわけであり、マスクにとってはビジネスチャンス以外の何ものでもない。

アメリカのバイデン政権も、通信衛星を大量に打ち上げ、インターネット環境の飛躍的向上を図ろうとしている。すでにスペースXは、アメリカ政府から一万二〇〇〇基の追加発注を受けているマスクにとって、まさに「渡りに船」と言えるだろう。

■マスクのライバルたち

イーロン・マスクのライバルや、IoB技術の動向も見ておこう。

フェイスブックのマーク・ザッカーバーグ会長兼CEOは、世界初のテレパシー・ネットワーク構築を計画し、その実用化に向けて余念がない。具体的には脳とコンピュータを結びつける研究を継続しており、毎秒一〇〇ワードを考えただけでタイプできる縁(ふち)なし帽を開発した。

これは聴覚障害など医療面での応用が期待できる技術だが、当然、マスクのニューラリンクに負けないためでもある。脳とAIを合体させるBMI技術で、人間自体をオーガニック・コンピュータ(有機コンピュータ。自律機能を持ち、人間と相互作用する)へ転換させるビジネスの土台が生まれつつあるわけだ。

メリーランド大学のウイリアム・ベントレー（William Bentley）教授の下では、生物学的細胞をコンピュータの意思決定過程に一体化させる研究が進化を遂げている。つまり人体の細胞の周囲に電子を配置することで、細胞が電流を起こし、通信用の電波を発信するという仕組みである。将来的には人体による発電も可能になるという。

きわめつきは、マサチューセッツ工科大学が開発するインターフェース「オルターエゴ」（AlterEgo）であろう。これは口を動かさなくてもコンピュータと対話し、操作できるヘッドセット型のデバイスである。まさにウェアラブルの新革命と言えそうだ。顎や表情筋の動きで神経細胞のシグナルを受信し、コンピュータを動かすという画期的なもので、マシーン・ラーニングへの応用も想定されている。

こうした新たな研究開発の先導役を果たしているのが、グーグルのエンジニアリング部門の責任者で、世界的に著名な未来学者レイ・カーツワイル博士であろう。彼の発想は人類の歴史を大きく変える可能性を秘めている。なぜなら、自らが「永遠の命を目指す」と宣言しているのみならず、亡くなった父親をアバターとして蘇生させる計画をも推進しているからだ。

カーツワイル博士は、「二〇二九年までにコンピュータは人間の知性を超える」と予測する。いわゆる「二〇四五年シンギュラリティ論」よりも一六年早く、ＡＩの世界が大転換期を迎えるというのである。シンギュラリティの時期がいつになるかは別として、いずれにせよ世界がその方向を目指し、猛スピードで進み始めているのは事実である。このプロセスは止まりそうにない。ましてや人と人との接触を減らすコロナ禍は、そうした動きを後押ししていると言えるだろう。

二〇二一年三月期に、日本史上最高の四兆九八七九億円という収益をたたき出したソフトバンクグループの孫正義会長も、同様な考えのようだ。孫氏は「シンギュラリティは二〇四七年」と予測している。その結果、「人間の脳はクラウドと接続することになり、人間の能力は飛躍的に進化を遂げる」と断言する。ＢＭＩによって、ロボットとの対話も人間同士のコミュニケーションもテレパシーで可能となる。ニューラリンクやフェイスブックの新ビジネスも、そうした流れのなかで捉えることができる。

ＢＭＩの行方はどうなる

では、ＩｏＢの第三段階「ウェットウェア」で先頭を走るニューラリンクのＢＭＩは、どのように進化し、そして私たちの世界をどう変えるのだろう。脳波でゲームをしていた猿のペイジャー君が人間になったら、何が可能なのか。

イーロン・マスクが目指すのは、ＡＩと戦えるサイボーグ人間を誕生させることであるが、それとは別に想像力を働かせてみよう。

たとえば、あなたが外出先で夕食にオムライスを食べたい、と思ったとする。そのとき、ウーバーイーツにスマートフォンで発注するのではなく、単に「○時に△△町までオムライスを届けてほしい」と脳内で独り言のように考えるだけで、帰宅したころにオムライスがデリバリーされている。

ホテルの予約や、さらに言うなら政府間の交渉でも、通信機器を使わずに相手とコンタクトができてしまう。まさにテレパシーの世界である。人が直接対面して意見を交わさなくても、相手と自由なコミュニケーションができる。結局、言葉がいらなくなる。

ＢＭＩが一般化してゆけば、物理的な空間の距離を克服するのである。ふと思っただけで自分の考えを相手に伝え、相手からもさまざまな情報を入手できることになる。つまり手紙や電話、メール、ＬＩＮＥに依存しない世界が出現する。

マスクは惑星への移住を最終ゴールとしているけれども、惑星に行くにはロケットに乗り、何カ月もかけて移動しなければならない。それはそれで可能性はあるのだが、そこまでしなくても、もし人間の意識がテレパシーのような形で簡単にA地点からB地点に移動できるのなら、人間の本来の肉体は地球上に残したままで、意識だけが火星に移住するのも理論的には可能になってくるわけである。

しかし、脳を外部からコントロールできるということは、セキュリティの面で大きな危険性を無視することはできない、ということだ。ＢＭＩでの通信はハッキングされかねない。ハイジャックならぬ〝脳ジャック〟が、ハッカーによって行なわれる可能性は否定できないのだ。

一方、ＢＭＩを装着してサイボーグ化するのは、ニューラリンクが主張する神経疾患の治療と相まって、高齢者には福音（ふくいん）となるかもしれない。日本は高齢化社会になり、世界の首脳たち――バイデン（七八歳）、プーチン（六八歳）、習近平（六七歳）も高齢者である。BMIによる脳の活性化に関心を寄せても不思議ではない。

マスクによれば、人間はすでにサイボーグ化しつつある、という。誰もがスマートフォンで情報を仕入れ、それに従って行動しているではないか。これはもはやサイボーグ化の入口である、とマスクは言うのである。彼の言い分をまとめると、こうなる。

「だからこれからの人間は、ロボットになるのか、それとも人間のままでいるのかを選ばなければならない。もしロボットになりたいのなら、ニューラリンクがお手伝いする。人間のままでいたい？　では環境汚染で病気になりなさい。選ぶのはあなただ」

■IoB市場は飛躍的に拡大する

「人間の進化の次の段階はサイボーグ化」と言われて久しい。二〇三〇年代までには、体内にマシーンが当たり前のように装着される、というわけである。「鉄腕アトム」が現実化する世界が、間近に迫っていると言えよう。なぜなら、思考を司る脳の一部に新たな外皮をつくり、クラウドと接続する実験が進んでいるからだ。新たな外皮が誕生すれば、人間が脳で感応する世界が格段に拡張される。

一方、BMIのような埋め込み型デバイスの電力を人体から発電する装置の研究も着実に進化している。

ジョンズホプキンス大学のリー・ロン・シャオ（Li-Rong Shao）教授の研究室は、人体から熱を吸収し、安定的な電力に変換するリング状のデバイスを開発したと公表。アップルウォッチやフィットビットのようなウェアラブルの動力源になる。

しかも、バッテリーが不要という。従来のバッテリーはレアアースなど腐食性物質を材料としており、人体には有害とされてきた。それに代わる人体ベースの発電方法となれば、筋肉や皮膚から電気を得ることができるわけで、ペースメーカーなどの動力源としても安全性が確保されることになる。

こうしたウェアラブルの国際市場規模は、二〇二五年までに七〇〇億ドル（約七兆七〇〇〇億円）に拡大すると予測されている。スマートウォッチの市場に限っても、二〇一八年に一三〇億ドル（約一兆四〇〇〇億円）だったものが、二〇二一年には三二％増加し、一八〇億ドル（約二兆円）になることが確実である。さらにＩｏＢ市場全体では、二〇一九年の二五〇〇億ドル（約二七兆円）が、二〇二七年までに一兆四六三〇億ドル（約一六〇兆円）へ飛躍的に拡大するであろう。

すなわちＩｏＢによって、人間がサイボーグ化することは既定路線になりつつある。問題は、その恩恵を私たちがどこまで享受できるのか、ということであろう。たしかに、永遠の命を手にすることは夢のある話だが、生身の人間にとって、そうした新たなデバイスを受け入れる心と肉体の準備が、二〇四五年という〝期限〟に間に合うのだろうか。

データ過剰時代と人間

ノーベル文学賞作家、カズオ・イシグロの『クララとお日さま』の主人公クララは、人間型ロボットの女の子である。プログラミングされており、自分を気に入ってくれた友だちのために全身全霊で尽くす。「ＡＦ」（人工親友／Artificial Friend（アーティフィシャル フレンド））という設定だ。クララはロボットなのだが、「感情」を持っているのである。

店頭でクララを見初めた一四歳のジョッシーは「生まれて初めて心がときめいた」とロボットのクララに夢中になる。クララとジョッシーの物語は、ロボットと人間との間で、友情や家族愛がどのように変化するのかを体験させてくれる。私たちの日常生活にＡＩという名のロボットが当たり前のように登場する時代が目前に迫っている今、近未来を体験するうえで実に興味深い。

通常、私たちは人間の視点から「ロボットをどう使うか、彼らの能力をどう役立てるか」を考えるため、極端な場合、「ＡＩに人間が支配されかねない」と恐れを抱くこともある。その代表選手がイーロン・マスクであろう。

このクララとマスクのＢＭＩを単純には比較できないが、サイボーグ化した人間に、クララのような感情はあるのか。脳とＡＩを合体させたとしても、人間の心を置き去りにしてはならない、と私は思う。

マスクが人間のサイボーグ化を唱えるのは、「人類に君臨するＡＩと戦う」ためである。

人々に危機感を植えつけ、自分の主張を正当化するのは彼の常套手段である。

彼は人間の未来を、ＡＩと共生するような今までにない環境と想定し、そこから可能性を広げてゆこうとしているのではないだろうか。そんな世界を実現するために、サービスや製品を提供する。

いずれにしても、人間が自分の頭脳で解析できる範囲をはるかに上回る勢いでデータが増え、そしてその処理、応用をする分野も拡大している。このようなデータ過剰時代においては、イーロン・マスクが唱えるように、人間の頭脳そのものがデータ処理できるコンピュータと一体化しないと、太刀打ちできない。マスクはそれを見越して、ニューラリンクのような新しい技術とサービスで大きな受け皿になろうとしているのだと思う。

私たち日本人も、新しい時代にどのような形で対応してゆくのか。うまく新しい未来への波に乗る方法があるのか。あるいは、波に逆らってデータや情報とは一線を画した、あたかも原始時代のような社会に戻るのか――その選択が今、問われている。

ＡＩが人間の能力を超えるというシンギュラリティについて、しきりに議論されてきた。その日が、言われるように二〇四五年だとすれば、あと二四年である。だが、たとえ

「その日」が来ても、主役は感情を持つ人間なのだ。
そういう時代を私たちは生きている。

切りとり線

★読者のみなさまにお願い

この本をお読みになって、どんな感想をお持ちでしょうか。祥伝社のホームページから書評をお送りいただけたら、ありがたく存じます。今後の企画の参考にさせていただきます。また、次ページの原稿用紙を切り取り、左記まで郵送していただいても結構です。

お寄せいただいた書評は、ご了解のうえ新聞・雑誌などを通じて紹介させていただくこともあります。採用の場合は、特製図書カードを差しあげます。

なお、ご記入いただいたお名前、ご住所、ご連絡先等は、書評紹介の事前了解、謝礼のお届け以外の目的で利用することはありません。また、それらの情報を6カ月を超えて保管することもありません。

〒101—8701（お手紙は郵便番号だけで届きます）
祥伝社新書編集部
電話03（3265）2310
祥伝社ホームページ　http://www.shodensha.co.jp/bookreview/

★本書の購買動機（新聞名か雑誌名、あるいは○をつけてください）

＿＿＿＿新聞の広告を見て	＿＿＿＿誌の広告を見て	＿＿＿＿新聞の書評を見て	＿＿＿＿誌の書評を見て	書店で見かけて	知人のすすめで

★100字書評……イーロン・マスク　次の標的

名前

住所

年齢

職業

浜田和幸　はまだ・かずゆき

国際政治経済学者。国際未来科学研究所主宰。1953年鳥取県生まれ。東京外国語大学中国語学科卒。米ジョージ・ワシントン大学政治学博士。米戦略国際問題研究所、米議会調査局等を経て、2010年参院選に立候補し当選。総務大臣政務官、外務大臣政務官兼東日本大震災復興対策推進会議メンバーとして、外交の最前線で活躍する。2020東京オリンピック・パラリンピック招致委員も務めた。ベストセラーとなった『ヘッジファンド』(文春新書)、『快人エジソン』(日本経済新聞社)、『たかられる大国・日本』『未来の大国』(いずれも祥伝社) など著書多数。

イーロン・マスク 次の標的

「IoB ビジネス」とは何か

浜田和幸

2021年 7 月10日　初版第 1 刷発行

発行者……………辻 浩明
発行所……………祥伝社しょうでんしゃ
〒101-8701　東京都千代田区神田神保町3-3
電話　03(3265)2081(販売部)
電話　03(3265)2310(編集部)
電話　03(3265)3622(業務部)
ホームページ　http://www.shodensha.co.jp/

装丁者……………盛川和洋
印刷所……………萩原印刷
製本所……………ナショナル製本

Printed in Japan　ISBN978-4-396-11632-3　C0236

〈祥伝社新書〉
医学・健康の最新情報

190
発達障害に気づかない大人たち
ADHD、アスペルガー症候群、学習障害……全部まとめて、この1冊でわかる
福島学院大学教授
星野仁彦

356
睡眠と脳の科学
早朝に起きる時、一夜漬け(いちやづけ)で勉強をする時……など、効果的な睡眠法を紹介する
杏林大学名誉教授
古賀良彦

404
科学的根拠にもとづく最新がん予防法
氾濫(はんらん)する情報に振り回されないでください。正しい予防法を伝授！
国立がん研究センター
がん予防・検診研究センター長
津金昌一郎

458
医者が自分の家族だけにすすめること
自分や家族が病気にかかった時に選ぶ治療法とは？　本音で書いた50項目
医師
北條元治

597
120歳まで生きたいので、最先端医療を取材してみた
ミニ臓器、脳の再生、人工冬眠と寿命、最新がん治療……新技術があなたを救う
実業家
堀江貴文 著
予防医療普及協会 監修

〈祥伝社新書〉
医学・健康の最新情報

〈祥伝社新書〉
令和・日本を読み解く